D0234192

Sans moi

Marie Desplechin

Sans moi

FRANCE LOISIRS
123, boulevard de Grenelle, Paris

Une édition du Club France Loisirs, Paris
réalisée avec l'autorisation de l'Olivier/Le Seuil.

© Éditions de l'Olivier/Le Seuil, 1998

ISBN : 2-7441-2579-2

À Élina Dumont

Première partie

1

Merci, j'en reprendrais bien, a dit Olivia en attrapant le manche de la casserole. Il faut que je t'avoue un truc. Je devrais manger moins, je grossis comme une outre. Tu te souviens quand je suis arrivée, là, en septembre, chez toi ?

Oui, ai-je répondu. On n'est qu'en octobre après tout.

Bon, eh bien, à ce moment-là, il faut que je te le dise, je n'avais pas arrêté la dope, je le reconnais.

Ah, ah, ai-je fait, et j'ai tendu le bras pour prendre mes cigarettes.

Mais maintenant, j'ai arrêté.

J'ai allumé ma cigarette sans me presser. J'ai soufflé un rond de fumée et j'ai dit :

Je le savais.

Tu le savais quoi ?

Je savais que tu te dopais.

Olivia a saucé son assiette en silence. Elle n'a pas levé les yeux. Elle était incrédule, peut-être, ou vexée.

Tu aurais pu me foutre à la porte. Les gens sont contre les baby-sitters qui se droguent.

Une autre, je l'aurais mise dehors, ai-je remarqué.

Puis je me suis tue.

Elle s'est levée de table, elle a débarrassé nos deux assiettes en les choquant l'une contre l'autre.

Tu veux du café ?

Elle est sortie du séjour.

Je l'entendais dans la cuisine. Elle grommelait contre la petite cafetière italienne dont je vissais trop fort la taille et qu'elle ne parvenait plus à ouvrir.

En fait, ai-je crié, si je ne t'ai pas virée, c'est parce que je te faisais confiance... Tu m'entends ? Parce que j'avais de l'affection pour toi.

Un gémissement furieux est sorti de la cuisine, immédiatement suivi d'un fracas familier.

T'inquiète pas, a lancé la voix d'Olivia, c'est pas grave, c'est les verres.

Pour la plupart, nous apprécions l'amour de nos semblables, au titre de reconnaissance nécessaire ou de divine surprise. Nous avons été élevés pour ça, d'une façon ou d'une autre, selon la voie du manque ou celle du trop-plein, peu importe, au bout du compte nous aimons être aimés, et nous aimons aimer, à tort et à travers et à nos dépens, mais enfin avec entêtement, avec récidive et avec préméditation. L'amour nous plaît, son bruit de chaînes et ses fruits de saison. Et tant mieux. Rien n'est plus désolant que de détester l'amour.

Olivia croulait sous les ennuis. Pour n'avoir connu ni le manque ni le trop-plein mais l'absence et l'anarchie, elle entretenait vis-à-vis des sentiments d'autrui une méfiance de pauvre bandit.

Quelqu'un t'a dit quelque chose ? a-t-elle demandé, et elle a claqué deux sucres sur la table, à côté de ma tasse.

Non. J'ai deviné, ce n'était pas très difficile.

Pour conforter mes soupçons, j'avais convoqué chez moi, un matin, mon frère Laurent, conseiller familial, et son ami Thierry, expert, lui-même à demi repenti, toujours plein de regrets et sujet à la rechute.

Répète-lui ce que tu m'as dit au téléphone, a proposé mon frère en s'asseyant sur le vieil ampli Fender qui présidait la table à tréteaux.

J'ai servi une rasade de café.

Bon, eh bien, des soirs elle ne dit rien, elle est toute sombre, et le lendemain, elle n'arrête pas de parler, complètement excitée et les yeux brillants.

Oui, a dit l'expert.

Elle parle tout le temps des médocs qu'elle prend, qu'elle a pris, de l'alcool, mais elle jure que la drogue, non, quelle connerie, quand on voit la déchéance, surtout les filles, tout ce qu'il ne faut pas faire une fois qu'on est dedans et ce qu'elles deviennent toutes, sans dents et sur le cours de Vincennes, et patati et patata. À moins d'être dedans jusqu'au cou, je ne vois personne pour en parler autant.

Juste, a dit l'expert, et il a eu l'air soucieux.

C'était un type économe de sa parole.

Après il y a tous ces types au téléphone, auxquels elle ne veut pas parler, comme si elle avait peur. Puis le Capitaine Crochet et Long John Silver qui passent et repassent dans sa chambre à toute heure du jour et de la nuit, avec leurs sacoches et leurs grands airs, et la concierge qui devient dingue à force de les soupçonner. Les paquets qu'elle doit livrer, en taxi, pour qui et avec quel argent, on ne sait pas. Un soir, elle m'a raconté qu'elle avait emmené ma fille avec elle déposer un truc, une balade en taxi c'est marrant pour un gosse. J'ai dit que non, ça n'a rien de marrant, et qu'il n'était plus question de paquets ni de taxis, à l'avenir.

Tu as bien fait. D'autres indices ?

Le papier alu qui disparaît de la cuisine.

Aïe, a dit l'expert. L'alu, c'est gênant. Très gênant.

Il a rentré le cou dans les épaules et il s'est penché sur son café.

Tu vois ? a fait Laurent.

Aucune chance que ça s'arrange, a diagnostiqué l'expert en secouant la tête, ses rares cheveux pleins de désolation. Toutes chances que ça empire.

Tu es dans la merde, a conclu Laurent. Il faut qu'elle s'en aille. Si tu veux, on peut lui dire nous-mêmes.

Non, ai-je dit, laisse-moi débrouiller cette histoire. Ce n'est pas n'importe quelle histoire.

Là-dessus mon frère est parti bosser, et je suis restée avec l'expert désolé. Nous sommes allés au lit aussi sec, car nous étions occasionnels, à mon grand dam, j'aurais préféré un peu de régularité.

Ce qui était pénible, ai-je dit à Olivia pour qu'elle comprenne tout le souci qu'elle m'avait causé, c'est que je n'avais pas envie du tout que tu t'en ailles.

À cause des enfants ?

Oui. À cause de moi aussi. Je ne voulais pas te virer, je ne voulais pas t'engueuler. Je voulais juste que tu ne te drogues pas.

Il était clair qu'au palmarès des menteurs et des toxicos auxquels la vie m'avait offert de m'attacher, elle avait la palme, l'encens, les lauriers et l'arc de triomphe tout entier. Il était aussi clair que le lendemain de notre rencontre, il me semblait la connaître depuis toujours. Attention, je ne dis pas connaître sa vie. Je dis connaître sa personne, les traits de son visage, sa façon de rire et ses brusques tristesses. Je pouvais identifier la couleur de ses chaussettes dans la machine essorée et ses plis dans le linge qu'elle repassait.

Admettons que nous ayons partagé les mêmes peurs, les mêmes souffrances et le même sentiment de l'enfance. Admettons même que nous ayons partagé le même âge. Les mêmes cigarettes. Le même vernis à ongles. Mais non. J'avais dix ans de plus qu'elle et nos vies étaient aussi étrangères l'une à l'autre qu'un roman de Johanna Trollope à une nouvelle de Selby.

Et tes copains, Agnès et toute cette bande, ceux qui m'ont envoyée chez toi, tu leur as demandé ?

Ah bien sûr. Ils m'ont tous juré que non, pas de drogue, jamais, c'en était même étonnant, compte tenu de ce que tu avais connu, pas de drogue et pas de prostitution, pour une fille de la DDASS qui a vécu dans la rue, quand on a vu ce qu'elle a vu, c'est presque un miracle, tu peux y aller les yeux fermés, en plus elle adore les enfants.

Olivia a rigolé. Elle adorait ceux qu'elle enfarinait.

Tu ne peux pas leur en vouloir. Ils ne savaient pas. Ils sont purs, Jean-Luc, Dominique, Agnès. Jamais je n'aurais voulu qu'ils se doutent.

Tu m'as rappelé une fille que je connaissais, avant, il y a dix ans. Une Savoyarde avec des yeux bleus minuscules, des lèvres minces et des épaules de lutteuse, je l'avais fait embaucher là où je travaillais. La drogue, m'affirmait-elle, je ne dirais pas que je n'y ai jamais touché, mais maintenant, c'est fini, trop dur. Au déjeuner, elle me racontait sa vie pleine de drames, son père ardoisier, ses douze frères et sœurs, et la méchanceté du monde à son égard. Mais elle arrivait le matin au bureau, toute sale encore de la nuit, et chiffonnée, des traînées blanches au coin du nez, elle s'endormait sur son standard. Elle s'est fâchée quand on lui a proposé une savonnette puis une cure de désintoxication et elle a filé, un matin, avec quatre mille balles que je venais de lui prêter, j'en gagnais sept à l'époque. Ça m'a rendue triste, qu'elle disparaisse, malgré l'amitié. Je ne l'ai jamais revue, peut-être qu'elle est morte.

Peut-être, a dit Olivia. Les toxicos finissent toujours par faire des coups d'enflés, ils sont obligés.

2

Il faudrait acheter une télé pour ta chambre, ai-je dit au lendemain des aveux. On va profiter que les petits sont chez leur père pour aller chez Darty.

D'accord, a dit Olivia. Ça m'aidera à dormir, je ne sais pas dormir la nuit. Je me sens trop mal toute seule.

C'est la chambre de bonne, elle est trop petite.

Je ne crois pas, a dit Olivia, je l'aime bien la chambre, je n'avais jamais eu un endroit à moi avant, avec la clé et tout. Moi, ce serait plutôt la nuit qui me gêne. Le jour, je suis mal, la nuit je suis encore plus mal. Je suis forcée de tout laisser allumé, la lumière et la radio, à fond.

Comment tu fais pour t'en passer?

Nous étions dans le métro, assises sur les strapontins.

Je m'en passe. Je ne sors presque pas de l'appartement, comme ça je suis sûre de ne rencontrer personne. Sauf quand je vais à Sainte-Anne, voir le psychiatre pour qu'il me file des cachets. T'es sûre que tu veux acheter une télé? Si c'est que pour moi, ça ne vaut pas la peine.

Dans le magasin, elle a observé un silence inaltérable, le front bas, les yeux au sol. Le vigile ne nous a pas lâchées d'une semelle. J'ai acheté un chauffage soufflant à céramique et une petite télé qui coûtait un peu moins de deux mille francs. Nous sommes rentrées en taxi, nous avons pris l'ascenseur jusqu'au sixième puis l'escalier de service pour le septième. Olivia n'a pas ouvert la bouche et j'ai porté la télé tout le temps. J'étais décontenancée quand je les ai laissés dans la chambre, la télé, le chauffage et elle.

Je suis revenue dans l'appartement, un peu désappointée. Je n'avais pas l'habitude qu'on ne me remercie pas. Alors je me suis dit qu'elle me remerciait sans doute à l'instant dans le secret de son cœur, ou qu'elle me remercierait un jour, plus tard, quand elle ferait les comptes, ou que je n'étais qu'une folle à vouloir que tout le monde me remercie sans cesse à tour de bras, pour ma patience et ma bonté.

Comme les enfants n'étaient pas là, j'ai allumé le Mac et je me suis mise au travail. J'étais d'humeur facétieuse.

J'ai tapé : « Sur un marché que le racket monopolistique rend chaque année un peu plus féroce, les esclaves et leurs kapos ont adapté leurs méthodes d'exploitation dans un souci constant de synergie, de productivité et de qualité. » Puis j'ai relu et remplacé racket monopolistique par mondialisation, féroce par exigeant, les esclaves et leurs kapos par les femmes et les hommes du groupe, exploitation par travail. Je travaillais à la commande pour des agences de communication.

Quand j'étais de bonne humeur, je comparais mon activité professionnelle à celle d'un embaumeur. On me confiait un monceau de mensonges décomposés qu'il s'agissait de rendre présentables, au terme d'un douloureux patchwork d'approximations, de contre-vérités et de phrases absolument dépourvues de sens. Le grand art consistait à préserver l'apparence de la réalité, tout en la vidant entièrement de son contenu pour la bourrer de foin. Ce qui exigeait à la fois une technique de boucher et un toucher de maquilleuse. À force de pratiquer, j'étais parvenue à une forme d'excellence. De sincérité. D'élégance, vulgaire et sournoise. Les agences aimaient me vendre aux entreprises. Je suis venu avec une plume, claironnait le patron à son client, en entrant dans son bureau. Il me découvrait alors d'un large geste du bras, à demi dissimulée derrière lui. Je pensais Plume dans le cul, oui, et je souriais avec une modestie avide, ma sacoche sous le bras. Je ne vois aucune étape, dans la chaîne de production du discours stipendié, qui n'ait été empreinte au plus profond de cupidité et de mépris.

Voilà ce que je pensais quand j'étais de bonne humeur.

Quand j'étais de mauvaise humeur, je buvais des bières en pleurnichant. De toute façon, le résultat était le même. Les chèques finissaient par arriver et je les virais sur mon compte.

La cendre de ma cigarette est tombée sur le clavier. J'ai soufflé dessus et j'ai travaillé jusqu'au soir.

À huit heures et demie, j'avais terminé un épais tissu d'âneries, d'une valeur nette de deux mille francs. Il faisait nuit et il pleuvait. Je savais qu'à cette heure tout le monde se préparait à sortir sans moi, plus personne de normal ne m'inviterait à dîner, alors je me suis servi un verre de rouge que j'ai bu, assise à ma table, en regardant mon Mac dans le blanc de l'écran. Je réfléchissais vaguement aux anormaux susceptibles de se manifester, un samedi soir après huit heures et demie. Puis je tentai d'évaluer le poids des heures que l'on passe seule, en attendant que vienne le sommeil, un samedi soir à Paris. J'en étais à me résoudre à boire, effondrée dans le canapé, quand la lumière du couloir s'est allumée.

Olivia est entrée en clignant des yeux.

Tu travailles encore ? J'allume l'halogène, on n'y voit rien.

Une avalanche de lumière blanche nous a soudainement dépouillées d'ombres et de reliefs, nous aplatissant dans l'espace comme deux crêpes semblables et surexposées.

Olivia était très pâle, et portait autour de ses yeux chaloupés des cernes déplorables. Mais elle était là, vivante, et j'étais si contente de la voir que j'ai bondi sur mes pieds.

Je ne savais pas que tu restais à Paris. Je croyais que tu irais voir ta sœur.

Vaut mieux pas, a-t-elle dit.

Alors tu restes dîner avec moi ?

Si tu veux, oui.

Elle s'est assise à la petite table de la cuisine et elle a fumé tranquillement pendant que je découpais en mille petits morceaux tout ce qui me tombait sous la main, un oignon, une tomate, et des pommes de terre très blanches au goût de fruit. Dans la poêle, l'huile frissonnait d'aise, la pluie noire pouvait tomber tout ce qu'elle voulait, c'était l'hiver et nous étions au chaud. J'ai repris la conversation là où elle s'était arrêtée, quelques heures plus tôt.

Sainte-Anne, pourquoi tu vas à Sainte-Anne ? C'est loin d'ici.

Je les connais.

Tu les connais d'où ?

D'avant. Quand j'étais dans la rue. Une fois, j'en ai eu trop marre, je voulais me reposer. Un mec m'a dit : T'as qu'à arrêter de manger. Tu vas tomber par terre et ils seront bien forcés de te ramasser. Donc j'ai arrêté de manger, je suis tombée par terre et le Samu m'a ramassée. Sûrement je devais être trop jeune pour qu'ils me larguent dans un foyer, ou à Nanterre, ou quoi. Je me suis retrouvée à Sainte-Anne. Et là, bingo, ils m'ont gardée, parce que je les faisais marrer, les infirmiers et les médecins, avec mes histoires. Comme au bout d'une semaine, ils ne pouvaient plus me loger, ils sont obligés de suivre la loi, ils ont appelé ma sœur mais elle ne voulait pas de moi. C'est la DDASS qui m'a sortie, je suis allée me faire engueuler par le juge, et je me suis retrouvée dehors. Oublie pas de passer nous voir, avait dit le docteur.

Je suis passée. Ils disaient : Toi, t'es une sacrée rigolote. Mais quand t'en auras assez de rigoler et que tu voudras sortir de cette merde, on t'aidera. C'est vrai qu'ils ont eu l'air content, quand je leur ai dit que j'arrêtais. En général, je ne dis pas que j'ai été internée à Sainte-Anne. Ça laisse une mauvaise idée de moi. Ma sœur, par exemple, ne veut pas en entendre parler. Elle prétend que toutes ces histoires donnent un sale genre à la famille, avec ma mère internée et moi par-dessus le marché.

Elle n'était pas alcoolo, ta mère ?

Oui, mais justement, elle a été internée. Pour les gens, c'est pareil. Internée pour ci, internée pour ça, ils ne font pas attention. Ils préfèrent pas internée du tout.

J'ai déménagé le Macintosh dans ma chambre, sur mon bureau, pendant qu'Olivia dressait le couvert sur la table à tréteaux. J'ai rabattu l'halogène, mis de la musique et nous avons dîné en bavardant.

Si j'avais refusé de rompre, tandis qu'elle décrochait avec tant d'élégance, c'était aussi à cause de ce bavardage, de tout l'agrément qu'il y avait à partager sa présence, à l'écouter puis à lui parler. J'ajoute que deux enfants ne m'auraient jamais pardonné son absence. Sans le moindre retard, elle les avait attendus à la sortie de l'école chaque jour d'automne, leur portant les croissants, les cartables et une amitié manifeste, et jouant avec eux des heures durant, on les entendait rire d'un bout à l'autre de l'appartement.

21

Quand il s'est agi d'aller se coucher, Olivia est redevenue vague.

Ça ne t'embête pas si je dors ici ?

Non, ai-je dit, moi aussi j'ai peur la nuit.

Nous avons étendu un matelas par terre, dans le
séjour, et elle a entassé les couvertures. Bonne nuit,
a-t-elle dit. Bonne nuit toi, ai-je répondu, dors bien, et je
suis allée dans ma chambre. J'ai poussé les journaux qui
encombraient mon lit mais, avant de m'allonger, je suis
retournée dans le séjour, sur la pointe des pieds.

Elle dormait profondément, alors j'ai éteint la lumière
et la radio.

Seigneur, puisque vous êtes tout entier contenu dans
la plus petite parcelle de la Création, vous devez être
aussi quelque part dans ma vie de merde. D'ailleurs, il
me semble que je vous entends ronfler. Si vous pouviez
vous réveiller et me filer un petit coup de main, ce serait
bien. Vous l'avez fait pour d'autres, alors pourquoi pas
pour moi. Veillez mordicus sur mes enfants, veillez sur
Olivia et veillez sur moi, qui ne sais pas très bien comment faire pour dégager vingt mille balles d'ici le mois
prochain.

Je me suis roulée en boule, les genoux repliés sur le
ventre. Une obscurité chaude et profonde est doucement
montée en moi. C'était le sommeil qui venait et je me suis
dit que j'aimerais que la mort lui ressemble, qu'elle soit
comme lui, progressive, sombre et caressante.

3

La drogue, la drogue, les gens se montent la tête et on n'avance pas. Qu'Olivia m'ait épargné, à nos débuts, de mettre avec certitude une image ou un nom sur ses états fut une bonne chose. L'anecdote aurait pris toute la place, l'essentiel serait passé à la trappe. Ôté la drogue, restait la peine. N'étant pas sommée de considérer l'une, je n'avais à voir que l'autre. Au moins, je ne risquais pas de me tromper de question.

Fin octobre, Olivia avait pris dix kilos et elle se rongeait les ongles jusqu'au coude. Elle avait cessé de m'entretenir, au bord du soir et dans la cuisine, des ravages de la drogue. Elle avait d'ailleurs, pour l'essentiel, cessé de parler. De sortir de l'immeuble. De se laver les cheveux. Il n'était que trop clair que cette fille ne se droguait plus. J'avais remisé mes soupçons. Mon inquiétude avait viré de bord.

Quand je lui téléphonais, le soir, dans sa chambre, je ne reconnaissais pas sa voix, tant elle était profonde et lente. Elle tremblait sur chaque mot et je craignais toujours qu'il lui arrive quelque chose, qu'est-ce qu'elle pouvait bien foutre à part mourir à petit feu toute seule, là-haut, dans son réduit.

Est-ce que tu peux descendre ? Il faut absolument que je te voie.

Là maintenant ? gémissait la voix sortie du puits. Plutôt demain matin, je ne me sens pas bien.

Maintenant tout de suite. Si tu n'es pas là dans cinq minutes, je monte te chercher.

Non, non, répondait-elle précipitamment, non attends, je descends, tu me réveilles.

Je collais Thomas et Suzanne dans la baignoire, tous robinets ouverts, et je filais dans la cuisine où elle m'attendait, les cheveux dans les yeux, les yeux dans le vide, et les pieds chaussés de mules immenses en velours rose.

Olivia, reste dîner avec nous.

J'ai pas faim.

Je m'en fous. À cette heure-ci tout le monde mange. Assieds-toi.

Elle s'asseyait sur la chaise tandis que je posais une casserole d'eau sur le feu. Je débouchais une bouteille et je servais deux grands verres, tout le monde ne peut pas faire sans alcool, en tout cas ni elle ni moi, à cette époque, en fin de journée surtout.

Elle attrapait son verre et ses yeux se mouillaient de larmes. Je suis au regret de l'écrire aussi nettement, mais voilà, elle pleurait.

Les minutes passaient. Il s'agissait de très grosses minutes, très belles et très poussives, qui tombaient entre nous et prenaient comme le béton.

Nous étions donc là, Olivia pleurait, je lavais la salade et les enfants barbotaient, les paquets d'eau valsaient par-dessus le rebord de la baignoire avec des bruits de cascade. Au bout du compte, l'atmosphère était très familiale, les nouilles étaient cuites, nos verres étaient vides, il était temps de retirer les casseroles du feu et les enfants de l'eau.

Tu veux que j'y aille ?

Si tu veux. Je mets le couvert.

Les mules quittaient la cuisine.

Olivia, Olivia, criaient Thomas et Suzanne.

En général, disait Olivia, je ne suis pas à l'aise avec les gens. Ce n'est pas que je m'ennuie, ou plutôt si, je m'ennuie, mais en plus je suis malheureuse. Si je pouvais choisir, je serais toujours avec des enfants.

Il m'arrivait d'avoir des remords, de la savoir depuis des heures enfermée avec eux, à jouer inlassablement à un succédané du Mille Bornes, ne sortant de la chambre que pour un ravitaillement en jus d'orange. Alors je remontais le couloir, je poussais doucement la porte de la chambre, et je les regardais, vautrés sur la moquette devant leurs petits tas de jetons.

Olivia tapait par terre du plat de la main.

Ah non, disait-elle, ça suffit Suzanne, tu n'arrêtes pas de tricher. Si tu continues, j'arrête de jouer, ça m'énerve trop.

Suzanne rembarquait ses jetons d'un air finaud et relançait le dé.

Elle a raison, faisait Thomas, si tu continues on ne joue plus avec toi. À toi, Olivia.

Le jeu reprenait, ils étaient concentrés tous les trois, ils ne voyaient pas le temps passer, j'avais refermé la porte.

Ils déboulaient en pyjama, les cheveux humides, labourés par le peigne. La serpillière à la main, Olivia suivait et nous pouvions dîner.

Assis aux rives de la table à tréteaux, nous évoquions le cours ordinaire des choses, l'école, les devoirs, les amis de la famille.

Puis venait l'heure des livres, je m'étais lancée dans *Les Trois Mousquetaires*, dont j'avais fini par interrompre la lecture, parce que les gosses n'y comprenaient rien, et puis par désaccord, je n'ai jamais pu me résoudre à la mort de Milady et à la trahison de d'Artagnan. Des types qui cassent tout sur leur chemin pour satisfaire leur manie du pouvoir et de la séduction, j'en connaissais déjà beaucoup.

Je crois que je vais remonter dormir, disait Olivia, une fois les enfants couchés.

Attends un peu, on va d'abord faire un café.

J'aurais pu lui dire, aussi bien : Attends un peu, on va d'abord faire une course à pied. Attends un peu, on va d'abord lire la Bible. Attends un peu, on va d'abord danser une sardane.

Car je ne voulais pas la laisser filer, pas encore. Je n'aimais pas l'idée qu'elle sorte de l'appartement, même pour changer d'étage. Je n'avais aucune confiance dans le monde.

Qu'allait-elle fabriquer, une fois refermée la porte de la cuisine ? Pleurer encore ? Se bourrer de médocs ? Regarder le plafond en laissant gueuler la radio ? Vraisemblablement le tout ensemble, et je me demandais combien de temps elle tiendrait, à se supporter, elle. Le courage et la force ne sont pas sans limites.

Ce n'est pas que j'avais de la patience, mais j'avais du devoir. Toute cette peine qu'elle se donnait, nous en étions responsables. Sans nous, peut-être aurait-elle continué à se droguer. Elle en connaissait les aléas et les satisfactions.

Mais, parce que nous étions au pied du mur pourri sur lequel elle était juchée, elle avait bien voulu se laisser tomber, de tout son poids, dans le vide. En bas, je courais les bras tendus. J'admirais son geste. J'avais l'esprit sportif. Je voulais la rattraper.

Alors, la baby-sitter ? avait demandé Laurent, au hasard de la conversation.

Ça va, le problème est réglé.

Elle est partie ?

Non, elle décroche.

Ah bon ?

Il était dubitatif. Mais redoutant mon mauvais caractère, il n'avait pas voulu s'étendre plus avant sur ses craintes et ma crédulité. Erreur de sa part, j'entendais très bien ce qu'il ne disait pas, et je lui fis la tête pendant quarante jours au triple motif de la sécheresse de cœur, du déni de confiance et de l'hypocrisie.

L'expert désolé, quant à lui, n'en pensa pas moins, mais il ne m'en reparla pas. J'imagine que tout cela lui sortit de l'esprit. Il était possédé de lubricité et portait de ce fait peu d'intérêt aux soucis d'ordre extrasexuel.

Depuis plus de deux ans que nous nous allongions, il n'avait pas appris grand-chose ni de ma vie financière, ni de ma vie familiale, ni de ma vie passée. Il préférait deviner et s'imaginait des sornettes. Mais je ne me trouvais pas désavouée par son ignorance persévérante.

Dans le dépit qui me prenait parfois d'être si lestement traitée, j'avais aussi de l'agrément. En voilà un au moins qui ne savait pas à quoi je ressemblais, l'aspirateur, le Caddie ou le stylo à la main. Je ne le voyais qu'aux heures libres où je n'avais plus à répondre de ce qui faisait ma vie. Nous parlions peu. Il n'attendait rien d'autre qu'un pantalon bien porté, et une certaine aisance à l'enlever, ce pantalon, un peu plus tard en soirée.

Dans le capharnaüm épuisé de mon existence, il proposait le divertissement. Le restaurant, l'hôtel et le rouge à lèvres. Et un peu d'activité physique, quand je n'avais de temps ni pour la piscine, ni pour les barres au sol.

Le problème devait naître de mon intempérance. Vint un temps où je voulus être divertie quand il me plaisait, voire à longueur de vie.

Et là nos points de vue se mirent à diverger à toute vitesse.

Cavalièrement installée sur l'ampli, je buvais mon café.

Je vois bien que ça ne va pas.

Pffff, fit Olivia.

Ta sœur a téléphoné. Elle veut que tu la rappelles. Peut-être que tu devrais aller la voir, peut-être que ça te ferait du bien.

C'est pas ma sœur, c'est ma demi-sœur.

Vous avez le même père ?

Olivia a haussé le sourcil.

Tu rigoles ? Elle peut pas souffrir les Arabes.

Et alors ?

Mon père est marocain.

Ah, ai-je dit, c'est pour ça...

C'est pour ça quoi ?

Ton visage. Je me demandais.

Elle avait le visage en forme de cœur, les yeux caramel, fendus en amande, la peau fine et pâle, le nez droit et des lèvres épaisses et rondes. Des cheveux châtains qui bouclaient à peine. Un très joli rire, aux dents blanches et carrées.

J'avais mis du temps pour la reconnaître, à cause du jean et du polo. Pour débusquer la ressemblance, il avait fallu que je l'imagine en pyjama de soie irisée, du jasmin dans les cheveux et des chaînes d'or aux pieds (ce qui n'allait pas de soi). Déguisée en odalisque, figée dans un léger déséquilibre mélancolique, elle faisait une très probable Schéhérazade, échappée du Petit Palais.

De là cette grâce surannée, qui tenait moins au mariage des sangs qu'au mariage des rêves.

De là mon émotion, à moi qui avais passé des heures et des heures d'enfance à contempler, dans un album géant, les visages en cœur peints par Ingres.

4

Alors Olivia avait cette demi-sœur qui s'appelait Yvette (et que nous appelions sœur), mariée à un type (que nous appelions beau-frère), et flanquée de deux enfants qui répondaient aux prénoms de Jonathan et de Sophie.

Leur mère, une très jolie femme, ayant décidé d'abandonner le monde référencé, ses gamines lui furent retirées. Les voisins, inquiets de ces enfants qu'on négligeait de nourrir et de laver, furent rassurés. La DDASS n'avait peut-être pas de cœur, mais elle avait une tête. Sous son vigilant contrôle, au moins, les petites seraient nourries. Les voisins n'avaient pas tort.

Ses grands-parents adoptèrent Yvette, Olivia fut placée dans une famille d'accueil en Normandie, et la mère, abandonnée des pères, mourut de fatigue.

Évidemment, parce que Olivia ne pouvait s'empêcher de mentir, son histoire était truffée d'insoupçonnables omissions. Des mois plus tard, je devais apprendre qu'il existait une troisième sœur.

Voilà donc comment Olivia, qui n'avait jamais connu son père, n'avait pas de souvenir de sa mère, parce qu'elles s'étaient quittées trop jeunes. Juste une photo, en noir et blanc, sur laquelle une jeune femme souriait, et qu'elle m'avait montrée afin que je considère la ressemblance.

Elle ne devait pas connaître ses grands-parents, qui avaient préféré la tenir éloignée, pour cause de père marocain sans doute, les grands-parents avaient de l'argent et de la tradition.

Olivia n'était pas entièrement dépourvue de famille. La DDASS, dans sa vigilance, avait préservé un lien ténu entre Yvette et Olivia, prévoyant qu'un jour la grande et la petite auraient le désir de se retrouver, pour se servir l'une l'autre de témoin des origines. Et c'est ce qui s'était passé. Quand Olivia avait fugué de Normandie, la première fois, à l'âge de treize ans, elle avait emporté l'adresse familiale dans la poche de son blouson. Elle était montée dans le train pour Paris et elle avait sonné chez sa sœur, un beau matin.

Je suis ta sœur, avait-elle déclaré à la femme qui lui avait ouvert la porte.

Entre, avait fait l'autre. On va voir ça.

Elle était entrée et le sort en avait été jeté.

La famille était réunie. Le banquet pouvait commencer. Olivia ferait le dessert, c'était son tour.

Je l'avais rencontrée, la première fois, un jour de camionnette. Le beau-frère était venu apporter un matelas à Olivia, la sœur l'avait accompagné. Une femme aux vêtements sobres et sombres, au visage nu, qui parlait à voix basse, comme si elle redoutait le son de sa voix.

Elle n'avait pas voulu entrer à l'intérieur de l'appartement. Elle s'était contentée de chuchoter sur le paillasson, lorgnant dans le couloir par-dessus mon épaule.

Nous sommes demi-sœurs, avait-elle précisé très vite. Olivia n'a pas été élevée dans la famille, elle vous l'a peut-être déjà raconté. Nous ne venons pas du même milieu, ce qui explique beaucoup de choses.

Je suis contente qu'elle soit tombée chez vous, avait-elle ajouté, tandis que le beau-frère passait en ahanant, charriant le matelas, suivi par Olivia qui pépiait derrière lui, les yeux brillants. Elle nous a fait les quatre cents coups, si vous saviez. C'est bien aimable à vous de la prendre. Mais qu'est-ce qu'ils fabriquent ? Ils en mettent du temps à redescendre tous les deux.

Puis le beau-frère était arrivé, en s'essuyant le front avec un mouchoir. Un type blond et carré, bedonnant, aux traits épais, aux lèvres fines. Il regardait de biais. Je crus d'abord qu'il avait un défaut de vision, une sorte de strabisme multidirectionnel. Mais non. Il avait le regard faux, voilà tout.

Ils étaient partis tous les deux, avec des remerciements soufflés la tête basse, et des recommandations en forme d'avertissement sans frais. Ils avaient disparu, avalés par l'ascenseur.

Qu'est-ce qu'elle a ta sœur ? Elle veut absolument qu'on sache que vous n'avez pas été élevées ensemble. On dirait qu'elle a peur que je mélange les torchons et les serviettes.

Qu'est-ce qu'elle t'a dit, exactement ?

Quelque chose comme : Oh, nous ne sommes pas du même monde, vous savez.

Olivia jubilait.

C'est ça, c'est tout à fait elle. Déjà, avant de te rencontrer, elle m'avait engueulée. Tu ne vas pas faire de cochonneries, hein, tu vas te conduire correctement. Pour une fois que tu tombes chez des gens bien.

Elle ne m'avait jamais vue...

Elle t'avait eue au téléphone.

Qu'est-ce qu'ils font dans la vie ?

Ils ont une grosse boutique de vidéo à Cergy. Mon beau-frère s'est installé avec l'argent de ma sœur. Elle a eu beaucoup d'argent ma sœur, de par les héritages. Ils ont des vendeurs, mon beau-frère bricole, ma sœur fait la gestion.

5

Avant que je fasse installer le téléphone dans la chambre de bonne, nous avions partagé le même numéro. J'héritais donc un temps des appels auxquels Olivia ne voulait plus répondre. J'avais reçu des consignes drastiques.

S'il te plaît, avait dit Olivia, tu dis que je n'habite plus là.

Je peux être désagréable ?

Si tu veux.

Je ne notais donc même plus les messages, coupant les ponts avec férocité, me contentant de répondre qu'Olivia n'était pas là, plus là, que non, je ne savais pas quand on pourrait la joindre, au revoir, merci de ne plus rappeler, jamais.

Elle me demandait parfois : Tu n'as pas eu un coup de téléphone d'un type avec une voix assez douce, assez polie, plutôt tard le soir, vers onze heures, par exemple ?

Et quand je répondais que oui, et qu'il n'appellerait sans doute plus, elle avait un sourire rassuré.

Bon tant mieux, disait-elle.

J'aurais aimé alors que le téléphone se mette à sonner, là, tout de suite, que je puisse en envoyer un autre au diable.

Mais, parmi les appels, je n'avais pu me débarrasser de ceux de la sœur, plus furieuse qu'inquiète que l'autre ne lui réponde pas. Sans la décourager définitivement, j'avais opposé un barrage poli mais ferme. Cette femme me faisait horreur, elle et sa voix plaintive au téléphone.

Je veux bien que tu n'aies pas envie de voir ta sœur, mais tu ne crois pas que tu devrais sortir un peu pour te changer les idées ?

Non, a dit Olivia. Vaut mieux que je ne sorte pas trop en ce moment. Dès que je mets le nez dehors, je rencontre des gens. Est-ce que j'ai l'air de quelqu'un qui veut rencontrer des gens dans la rue ?

Elle n'avait pas l'air, non. Elle était grosse, ses cheveux étaient misérables, elle qui les avait plutôt vaillants d'habitude. Ses yeux étaient étroits et soulignés de poches.

Quand même, ai-je fini par dire, tu as grossi.

T'inquiète, j'ai fait jusqu'à quatre-vingt-dix kilos. Attends voir ma photo, je vais la chercher.

La photo avait été prise au flash, les visages étaient cireux, les vêtements criards et Olivia énorme.

Je ne t'aurais pas reconnue, tu ne fais pas les choses à moitié.

J'avais dix-huit ans. C'est marrant, hein ?

Oui, tu fais tellement plus vieille là-dessus.

Je sais. C'était pas la grande forme.

Tu penses que tu vas remonter jusque-là ?

J'espère que non. Ça va aller mieux et je vais arrêter de me gaver. Quand je vais bien, je maigris à toute vitesse. Tu vas voir.

Vivement que tu ailles bien, ai-je dit. J'adore quand tu vas bien. Les enfants aussi adorent.

Tu crois qu'ils se rendent compte que je ne suis pas en forme ?

Pas beaucoup, mais un peu, forcément. On voit que tu es fatiguée, on sent que tu fais des efforts.

C'est pour ça qu'ils sont gentils ?

Pas sûr, ils sont gentils parce qu'ils t'aiment beaucoup. Moi aussi je les aime beaucoup, a dit Olivia.

Avant même de les voir pour la première fois, au seul intitulé de leurs prénoms, Olivia avait adopté Thomas et Suzanne. Je ne veux pas dire qu'elle avait décidé de les aimer, non. Elle avait pris leur parti. Contre le monde et contre tous, et contre moi s'il le fallait.

Suzanne, disait-elle, n'aura pas de mal à s'en sortir, je ne me fais pas de souci. Mais il faut soutenir Thomas. Tu sais comment ils sont, dans les écoles, ils n'y connaissent rien aux enfants. Un enfant qui n'est pas protégé, ils te le démolissent. Tu devrais faire attention, Thomas n'est pas comme les autres.

L'immense sollicitude d'Olivia était confortée, chaque jour ou presque, par les résultats désastreux qu'il ramenait de l'école. Toute note inférieure à la moyenne était immédiatement interprétée comme la manifestation de dons exceptionnels.

Le problème, remarquait-elle d'un ton désabusé, c'est qu'il est surdoué. Alors forcément, ça ne peut pas aller avec l'école.

Elle se désolait pour lui. Elle rêvait de le sortir des sales pattes des maîtres. Il lui arrivait, lorsque je les quittais tôt le matin pour aller travailler et qu'elle conduisait les enfants à l'école, d'en revenir avec Thomas.

Ça ne lui sert à rien, d'y aller. Il s'emmerde, c'est tout ce qu'il fait de la journée.

Il était vrai que, pour ce qui est d'apprendre, l'école ne lui servait pas à grand-chose. Il n'avait en cela rien d'exceptionnel. Mais il y croisait des gens. Il échappait à notre amour inquiet. Je dis donc à Olivia que je préférais, dans la mesure du possible et sauf exception, qu'il y aille, à l'école.

Peut-être, avais-je suggéré, peut-être qu'il y apprend quelque chose du monde. Peut-être que ce qu'il y apprend est de l'ordre de la résistance. Pour le moment, il croit qu'il est vaincu. Mais nous savons qu'un jour viendra où il sera vainqueur, parce qu'il le mérite et parce que nous l'aimons.

Olivia, lui disais-je pour finir, Olivia il ne faut pas toujours fuir. Il faut aussi rester et se battre.

Je frappais du poing dans l'air indifférent. Ni elle ni moi ne croyions tellement dans nos propres chances de victoire.

6

Au début du mois de novembre, l'hiver s'installa. J'achetai des sacs de bûchettes. Après le dîner, nous faisions du feu. Nous nous asseyions tous les quatre devant la cheminée. Nous regardions les flammes. Nous nous posions sur l'énergie des questions auxquelles nous ne savions pas répondre.

Arriva un soir où nous vînmes à manquer de bois. Je constatai que le sac était vide et les larmes me montèrent aux yeux. Il était trop tard pour descendre, les magasins étaient fermés. Il faisait froid, dehors, et pluvieux.

C'est pas grave, remarqua Olivia.

Je sais bien mais ça me rend triste.

Je décidai de brûler une porte, qui traînait dans le débarras depuis notre emménagement, et qui ne correspondait à aucun placard de l'appartement. Comme je n'avais pas de scie, nous entreprîmes de brûler la porte entière et je coinçai le haut dans le foyer. Le bois était sec, la porte s'enflamma rapidement. Nous passâmes une bonne soirée, paisible et silencieuse, à pousser doucement la porte vers le fond de la cheminée, au fur et à mesure qu'elle se consumait. La peinture écaillée brûlait facilement. De petites flammèches de couleur couraient sur la surface. Je cherchai un moment l'origine de la satisfaction particulière qu'il y a à brûler son mobilier, chez soi, un soir d'hiver. Puis je trouvai.

Nous sommes Bernard Palissy, annonçai-je avec jubilation.

Qui c'est ce type ? demanda Olivia.

N'importe.

Je repoussai les braises. Je n'avais pas tellement besoin de conversation.

Quand la porte fut brûlée, la soirée fut déclarée finie, Olivia remonta chez elle et je gagnai ma chambre.

Cette même semaine, je fis de la tisane de thym, car elle protège les bronches et tient les rhumes à distance, je l'avais lu dans un magazine. Je regardais les branches infuser dans l'eau jaune. Je respirais avec plaisir la buée parfumée.

Goûte, dis-je à Olivia, c'est bon pour la santé.

Hum, fit Olivia, j'aime bien le goût aussi.

J'étais si contente de cette nouvelle amélioration de

notre existence que je fis infuser du thym à longueur de journée. La tisane remplaça le thé. Nous en buvions sans cesse. Au bout de quelques jours, nous étions malades, Olivia et moi.

Je crois que c'est le thym, suggéra Olivia.

Oui, on ferait mieux d'arrêter, approuvai-je. Ça donne des boutons, à force.

Ce qui n'était pas trop ne m'était rien. Je n'achetai plus de thym. Je me sentis mélancolique. Je regrettai de ne pas savoir user du monde.

Pour l'ordinaire de nos conversations, nous en étions toujours à la drogue. Olivia, à demi sevrée, se terrait dans l'appartement comme un loir terrifié.

Le pain, je veux bien, disait-elle, encore que je ne me sens pas de descendre à la boulangerie. Si tu peux y aller, c'est aussi bien.

Elle ne consentait à sortir que pour attendre les enfants devant l'école.

J'ai peur de tomber sur eux, disait-elle. J'ai tellement pas de chance qu'il suffit que je mette le nez dehors pour en rencontrer un.

Et alors?

Alors, j'ai peur.

Peur de quoi? Tu as des embrouilles? Tu dois quelque chose à quelqu'un?

C'est pas ça. C'est plutôt que je ne sais pas me défendre. Ils vont me parler, ils vont m'embobiner. Je sais comment je suis. Je ne peux pas résister.

Elle mettait la tête entre ses mains. Elle se frottait les joues. Ses joues rougissaient par plaques.

Des fois je pense que je n'arriverai jamais à m'en tirer.

Elle reniflait.

Sept heures et quart. Il était temps de passer à table et nous n'avions toujours pas de pain. J'attrapais mon K-Way et je haussais le ton.

Et pourquoi tu ne t'en tirerais pas ? Hein ? À cause de trois délinquants qui traînent dans la rue alors qu'ils devraient dormir en prison ? Attends un peu que je m'en occupe. Je vais aller chez les flics. J'ai pas de casier, je gagne ma vie, j'ai une famille, j'ai le droit.

Olivia baissait la tête et regardait ses pieds.

D'ailleurs tu m'accompagnes. Demain matin, on porte plainte, toutes les deux. Tu pourras enfin sortir de cet appartement. La rue est à tout le monde, merde. Et jette un coup d'œil dans la chambre des enfants, je descends acheter du pain.

Pas les flics, gémissait Olivia en traînant ses savates. Je crois que je préfère me démerder toute seule.

C'est ça. Tu n'as qu'à dire non, après tout. C'est facile. Regarde. NON.

Justement, je ne sais pas...

Eh bien, apprends, bordel de merde.

Olivia ! criaient les enfants.

J'arrive !

Je claquais la porte. Je négligeais l'ascenseur. Je descendais les six étages quatre à quatre. La baguette était blanche et fondante.

Je riais en remontant la rue. Je nous imaginais au commissariat, moi en furie bourgeoise, les pauvres flics désabusés, Olivia portant ses yeux tremblants de repentie de fraîche date, comme deux sucettes Chupa Chups plantées au milieu du visage.

Je n'ai pas allumé dans le hall. J'ai appelé l'ascenseur. J'ai attendu en grignotant le bout de la baguette. Le rideau de la loge s'est écarté. Mme Alvez est sortie de chez elle, une ombre dans l'ombre.

Un homme, a chuchoté Mme Alvez, un homme a demandé Mlle Bernier tout à l'heure, à la loge. Vous connaissez les hommes qui visitent Mlle Bernier ?

Un peu, ai-je dit par solidarité car non, je ne connaissais pas ces hommes, pas personnellement.

Mme Alvez m'a regardée avec perplexité.

Ces hommes, a-t-elle poursuivi, sont des voyous. Peut-être vous vous renseignez, peut-être vous interrogez Mlle Bernier...

L'ascenseur est arrivé mais je regardais Mme Alvez. J'avais beaucoup de mal à comprendre ce qu'elle me disait tant était puissant son accent sur la langue et tant je la contemplais quand elle parlait. Sa beauté me renversait, son visage aigu auréolé de boucles sombres. Sa minceur aussi, ses vêtements noirs. Elle portait le deuil comme un bijou ; elle était veuve, malgré son jeune âge.

Je redoutais un peu, par ailleurs, qu'elle ne nous balance, pour une raison ou pour une autre, aux propriétaires de l'appartement. Je n'étais tout compte fait qu'une femme seule avec deux enfants, ce qui me rendait vulnérable et quasi pauvre, et en tout cas indésirable, je le savais, au regard émotif des propriétaires d'appartements parisiens. J'avais beau payer mon loyer avant le 15 du mois, je m'attendais toujours à recevoir mon congé pour défaut de morale et de fiabilité.

Mais Mme Alvez n'était pas tombée de la dernière pluie.

Je ne dis rien, dit-elle, tant que les locataires ne se plaignent pas. Mais vous devriez faire attention. Des plaintes, je vais finir par en avoir.

Merci, je vais faire attention.

J'ai ouvert la porte de l'ascenseur.

Je vous le promets, ai-je ajouté.

Et je me suis élevée gracieusement dans les airs.

Profondément, j'avais confiance en Mme Alvez. Nous étions liées par les mômes. Thomas et Manuel, son neveu et filleul, s'étaient pris d'amitié. Les deux garçons étaient camarades de classe et voisins, la mère de Manuel tenant la loge de l'immeuble mitoyen, où elle habitait avec trois enfants et un mari que le travail avait laissé boiteux.

Manuel passait volontiers ses fins de journée à l'appartement, à jouer avec Thomas. En retour, Thomas descendait chez Manuel regarder la vidéo. J'admirais Manuel, sa politesse, son visage plein, et toutes les activités que pratiquent les enfants qui fréquentent une paroisse portugaise. Je les avais emmenés au musée, un après-midi, mais il s'était avéré qu'ils n'aimaient ça ni l'un ni l'autre, les musées, et j'avais giflé Thomas, sur le chemin du retour. Mme Alvez ne me dénoncerait qu'en dernière extrémité.

Quand j'ai poussé la porte de l'appartement, j'avais mangé le tiers de la baguette et les enfants étaient en pyjama. Ils travaillaient.

7

En m'attendant, Olivia avait repris son rôle de répétitrice des écoles primaires, un rôle dans lequel elle excellait, avec son orthographe péremptoire, ses calculs pléthoriques et son inépuisable patience. Le problème résidait dans sa trop grande bonté.

Elle s'asseyait sagement, à demi ensevelie sous une avalanche de papiers, vérifiant inlassablement le résultat erroné d'une division à virgule, tandis que l'enfant concerné, assis à son côté, tendrement appuyé sur sa hanche, lisait un *Picsou Magazine* en nettoyant d'un doigt distrait un vieux pot de Nutella.

Tu verrais ce qu'il a à faire, le pauvre, remarquait-elle en passant une main soucieuse dans ses cheveux ébouriffés. Ils sont dingues, les profs. Mais ne t'inquiète pas, on a fini dans cinq minutes. Et regarde un peu, toi ! Je ne serai pas toujours là pour faire tes opérations.

Pour l'heure, Olivia s'épuisait à déchiffrer un polycopié à peine lisible tandis que je dressais le couvert. Nous apprîmes ce soir-là qu'un roi de France avait fait construire un mur autour de Paris, ou autour du onzième arrondissement ou autour d'on ne sait quoi, le texte n'était pas très explicite, enfin bref un mur qui n'existait plus depuis longtemps, même pas à l'état de ruine. C'était vers l'an 1200 et Thomas ignorait si cet événement considérable s'était produit avant ou après l'extinction des dinosaures, seul repère insubmersible du marigot chronologique. Olivia savait, elle, que l'extinction des dinosaures avait précédé les rois de France, mais ses connaissances n'allaient pas beaucoup plus loin.

Plus généralement, j'avais constaté avec stupéfaction que le nom de Marx lui était inconnu, comme ceux de Jaurès, Gutenberg, Tchekhov ou Roosevelt, Staline, Baudelaire ou Martin Luther King. Elle ignorait tout du siècle et de ses guerres. Elle ne savait pas qui gouvernait la France. L'histoire glissait sur elle comme l'eau sur les plumes du canard. Il y avait quelque chose de très beau dans cette inestimable ignorance. Du moins je pensais ainsi parce que je l'aimais. Et parce que je lui étais reconnaissante de m'apprendre que l'on peut vivre au milieu des hommes sans rien connaître de leurs histoires.

Un jour que je m'étonnais, elle avait constaté avec regret :
Le docteur m'avait prévenue : Olivia, le caillou, ça flingue la mémoire. Elle disparaît par morceaux et ça va t'arriver à toi aussi un de ces quatre si tu continues. Il avait raison. Je ne sais rien et c'est la faute du caillou.
J'avais balayé ses regrets d'un large geste du bras.
Elle a bon dos la dope. Tu ne sais rien parce que personne ne t'a jamais rien appris, voilà pourquoi. Si tu veux un coupable, tu n'as qu'à dire que c'est la faute à la société. Et si tu veux te racheter, tu n'as qu'à prendre des livres, l'appartement en est plein.
C'était une proposition idiote, bien sûr. Olivia a décliné poliment.
Non, merci. J'ai déjà trop de choses à penser. Je n'ai

43

pas la place pour lire un livre. Pas maintenant. Un jour, plus tard, peut-être.

Tu vois qui c'est, Armelle ? m'avait demandé Olivia, un matin.

Elle contemplait d'un œil perplexe les rayonnages plaqués de plastique blanc où j'entassais les bouquins en désordre, au fur et à mesure de leur arrivée, me promettant toujours de les ranger, rêvant de classements croisés, et ne les rangeant jamais.

Tu vois comme elle est gentille ? Elle m'a emmenée à la FNAC, un jour, parce que j'avais gardé ses gosses. Viens, on va t'acheter un truc. Quel truc, je ne demande pas. Je suis contente. On arrive, je vois des livres, des centaines de milliers de livres. Armelle me plante au milieu et elle me dit : Je vais me choisir un bouquin, toi regarde et prends celui qui te fait plaisir, je te l'offre. Elle me tourne le dos et elle s'en va. Et moi, là, toute seule, je me mets à pleurer comme une fontaine. Tous ces bouquins, pour moi, étaient pareils. Qu'est-ce que tu veux que j'aille en prendre un plutôt qu'un autre ? Mais je ne voulais pas passer pour une cloche. J'en ai tapé un sur une pile au hasard et j'ai ravalé mes larmes. Nous sommes allées à la caisse. Ah tiens, a fait Armelle en regardant la couverture, je n'aurais pas cru. J'ai jamais su ce qu'elle aurait cru, je n'ai pas posé de questions.

Pour ce qui concernait le mur, l'histoire, les livres, tout cela n'avait aucune importance, il s'agissait d'apprendre par cœur. Et Thomas n'y parvenait pas. Olivia le couvait d'un regard admiratif, car elle détectait le génie dans son lointain regard d'enfant. On tournait en rond. La soupe était chaude.

Thomas, ai-je dit, laisse tomber ce mur, tout le monde s'en fout.

Ouh, a gémi Thomas, je vais encore avoir une mauvaise note. On voit bien que ce n'est pas toi qui y vas, à l'école.

Il n'a qu'à rester à la maison avec moi demain, a suggéré Olivia.

Suzanne, qui lisait tranquillement un catalogue de Noël périmé depuis deux ans, est sortie de sa réserve.

Et moi alors ? Moi aussi, je peux rester à la maison ?

Non, ai-je crié à pleine voix, pour bien me faire comprendre, tout le monde travaille demain, les enfants aussi, c'est la vie. Allez Thomas, à table, on reprendra ce truc à la con quand on aura mangé.

C'est pas juste, a murmuré Suzanne.

Elle râlait tout le temps. C'était l'une de ses qualités, l'une de celles qui nous la rendaient précieuse, ce pouvoir qu'elle avait de protester.

Après le dîner, j'ai pris Thomas sur les genoux et nous avons relu le polycopié. Une bonne dizaine de fois. À neuf heures, je connaissais le mur comme ma poche. Thomas quant à lui avait mémorisé quelques mots épars, mur, Paris, bourrelier. Mais il n'était pas parvenu à enregistrer les trois syllabes imposées : mille deux cents. J'ai pensé un instant à lui proposer de les écrire sur son bras, comme antisèche, pour le lendemain. Mais j'ai tenu ma langue.

Tu sais déjà que ce type, là, Philippe, a fait construire un mur dans Paris, ce n'est pas si mal, ai-je remarqué avec compassion. Le reste, tu as toute ta vie pour l'apprendre.

Thomas appréciait que je sois aimante. Il aimait moins que je le prenne pour un imbécile.

Ne me dis pas toujours des choses gentilles, a-t-il remarqué. C'est pire.

J'ai emmené les enfants dans leur chambre. Nous avons lu un chapitre de *L'Île au trésor* tandis qu'Olivia faisait la vaisselle.

Les enfants couchés et la lumière éteinte, il restait à évoquer avec Olivia l'affaire de ses visiteurs.

Olivia, j'ai dit, il y a un type qui te cherchait tout à l'heure. Il a demandé à la concierge.

Olivia a allumé une cigarette.

La concierge n'aime pas ces types. Moi non plus.

Pourquoi ? Parce qu'il y en a plusieurs ?

Deux ou trois aux dernières nouvelles.

Oh mince, a fait Olivia. C'est ma faute. J'avais donné mon adresse quand je me suis installée chez toi. Je ne savais pas que j'arrêterais. Je ne pouvais pas savoir.

Paniquée, le visage soufflé, elle m'évoquait cette andouille de petit cochon, celui qui pavoisait cinq minutes encore avant que le loup ne lui souffle sa coquette hutte de paille. Moi, je roulais des épaules, semblable à cet autre petit cochon, l'aîné consciencieux, le propriétaire insolent d'une maison de brique. Je sais que ce cochon-là a quelque chose de déplaisant, une forme d'assurance prétentieuse. Mais j'aimais qu'il ait une maison de brique, pour se défendre du loup, de l'hiver et des propriétaires parisiens. Je m'identifiais. Je proposai d'un ton belliqueux :

Déménage ta brosse à dents et installe-toi ici, sur le

canapé. Ils vont vite se décourager. S'ils insistent, la concierge dira que tu n'habites plus ici. Et ceux qui s'obstinent auront affaire à moi.

Oui, a fait Olivia.

D'où ils sortent, ces types ? ai-je alors demandé.

C'est à cause du caillou, a répondu Olivia.

Ça, j'avais compris, mais encore ?

Le caillou. Maintenant qu'elle n'y touchait plus, Olivia en parlait. Elle disait le caillou comme on dit le biclou ou les pompes, parce qu'on ne peut pas s'empêcher de surnommer le monde familier, les objets comme les gens. Le caillou donc, pour la cocaïne mal raffinée, et parce que le label crack avait des allures d'origine contrôlée. Ce truc n'avait pas franchi l'Atlantique que le nom l'avait précédé, entonné par les journaux, repris par les badauds, inutilisable par les usagers, qui sont des gens comme tout le monde et n'aiment pas trop que l'on décide à leur place des sobriquets dont ils balisent leur environnement.

Olivia avait donc travaillé deux ans dans un studio d'enregistrement, au poste officiel de standardiste. L'endroit était fréquenté par des amateurs et géré par des vendeurs, ce qui n'avait rien de très original, l'époque et le milieu étant assez portés sur la consommation de cocaïne. Elle s'était retrouvée là-dedans comme une souris dans un gruyère, sans compter le plaisir qu'il y a à croiser des vedettes à longueur de temps. Les gens étaient gentils, véreux mais gentils.

Si tu savais ce qu'on a rigolé, disait Olivia.

Ah bon, murmurais-je.

Par amitié, je ne demandais qu'à la croire, mais je n'en pensais pas un mot.

Olivia n'avait pas mis longtemps à assurer toute une série de tâches annexes à son emploi de standardiste, je préférais ne pas en connaître le détail mais, en tout cas, il était entendu qu'elle était passée livreur. Elle y gagnait d'aller sonner chez les riches, et de voir de ses propres yeux quelles belles baraques ils habitaient. Le patron n'était pas mécontent. Menteuse comme elle était, son visage inspirait une confiance proche de l'amour, elle pouvait prendre le métro chargée comme une mule, aucun flic sans cœur n'aurait stoppé cette gamine au visage clair. Ça amusait toute la bande cette innocence qu'elle portait plaquée sur ses traits. Elle se baladait comme elle voulait, les poches pleines de dope aller, pleines de thune retour, avec ses airs de petite fille à sa maman. Et là où l'histoire était vraiment drôle, c'est que justement elle n'en avait pas, de maman. Juste du caillou et du culot, à vendre et à revendre. Tous ses amis aimaient Olivia parce que avec elle on ne s'ennuyait jamais. Elle était très rigolote.

Et puis un beau matin, le studio avait mis la clé sous la porte, pas par manque de commerce, mais plutôt par faute de gestion ou par nécessité de vacances, on ne sait pas trop. Olivia s'était retrouvée à la rue. La chance, ça va, ça vient, du travail, on en retrouve. Elle en avait retrouvé. Elle l'avait reperdu. Les amis, en revanche, elle les avait gardés.

Et maintenant il fallait s'en débarrasser.

8

Mme Alvez accepta avec entrain de dissuader les chasseurs d'Olivia. J'avais évoqué à grands coups d'ellipses et de demi-vérités la nécessité de la protéger d'elle-même et de son passé proche. Elle avait acquiescé gravement. Nous étions bien pareilles, elle et moi, trop contentes de nous voir assigner des missions simples. Trop contentes de nous mêler de la vie d'autrui, si accessible quand on la mesure aux reliefs incertains de sa propre existence.

Il fut assez aisé de nous débarrasser des pirates qui hantaient la coursive de l'étage de service. Ils durent se passer le mot. En quelques jours, l'affaire fut réglée. Ils partirent tous se faire pendre ailleurs. Tous sauf un.

J'ai trouvé un mot de Sydney tout à l'heure, dit Olivia. Nous en étions à une semaine de réclusion.

Il l'a glissé sous la porte de ma chambre.

Qu'est-ce que tu faisais là-haut ?

J'allais chercher des fringues.

De toute la compagnie des brigands, Sydney, à ce que j'en avais compris, était le pire. Le sournois. Le cruel. Le méchant en chef. Comble de traîtrise, Sydney n'était qu'un nom de guerre derrière lequel se cachait un quelconque Kevin Dupont versé dans le crime. Mais tel qu'il était, il terrifiait Olivia, pour des raisons qui, dans leur violence, me restaient obscures.

Si tu as besoin de fringues, tu n'as qu'à taper dans les miennes. Tu remonteras chez toi quand on en aura terminé avec ce type.

Le soir même, aux alentours de neuf heures, on sonna à la porte et Olivia bondit de sa chaise.

C'est lui, a-t-elle chuchoté, comme si elle voyait à travers la porte close. Je suis sûre que c'est lui.

Elle s'est mise à sautiller à travers la salle à manger comme une grenouille décérébrée.

Calme-toi, je vais voir. Toi, tu emmènes les enfants dans leur chambre et tu y restes.

De quoi ? De quoi ? glapissaient Thomas et Suzanne, gagnés par notre soudaine agitation.

Quand ils se furent réfugiés au fond de l'appartement, je me suis passé une main dans les cheveux et j'ai ouvert la porte.

Sur le paillasson, devant moi, une sacoche verte pendue au côté, un petit homme grassouillet, le menton à demi barbu, le sourire amène, le regard fielleux.

Bonsoir, je viens pour Olivia.

J'ai pris une mine contrariée.

Il ne faut pas chercher Olivia ici. Elle n'habite plus dans cet immeuble.

Ledit Sydney m'a regardée un instant, silencieux et souriant. Son insolence avait quelque chose d'effrayant ; je sentis que les craintes d'Olivia, quelles qu'elles fussent, étaient fondées.

Il a insisté.

J'ai besoin de la voir.

Je m'en fous. Je vous dis qu'Olivia n'est pas ici, alors vous allez partir gentiment et ne plus jamais remettre les pieds ici, plus jamais, jamais. Au revoir.

J'estimais m'être montrée désagréable, je ne l'avais pas été assez.

Comme vous voulez. Quand vous la verrez, vous pouvez lui dire que Sydney est passé et qu'il la cherche.

Je ne dirai rien du tout. Foutez-moi le camp.

Et j'ai claqué la porte.

Ils ont déboulé dans le couloir, Olivia et les deux gamins dans son sillage.

Aïe, aïe, aïe, faisait Olivia.

Suzanne et Thomas reprenaient en chœur en battant des mains.

Aïe, aïe, aïe, résonnait l'appartement.

Moi, je prenais l'air digne, jugeant régler le cas Sydney, quand la sonnerie a retenti à nouveau. Plusieurs coups décidés ont traversé l'appartement comme des missiles, laissant derrière eux une traînée lumineuse.

Olivia a tourné sur elle-même. Constatant qu'elle n'avait aucune issue, elle s'est enfermée dans la seule pièce dotée d'un verrou, les chiottes. Thomas et Suzanne l'ont suivie, tambourinant à sa porte. La porte s'est ouverte, les enfants ont disparu. On entendait la compagnie gigoter dans son étroit réduit.

Partagée entre l'excitation et le fou rire, j'ai filé dans ma chambre, j'ai attrapé le Polaroïd et je suis retournée à la porte.

Le même, c'était évidemment le même.

Je crois, a-t-il dit, qu'Olivia habite toujours ici.

Très bien, ai-je hurlé. Vous croyez ce que vous voulez. Maintenant je vais vous dire une chose. Si je vous vois encore une fois rôder dans le coin, si vous avez encore une fois le front de sonner à ma porte, je fonce chez les flics. On trouvera sûrement quelque chose pour vous habiller. Et si vous restez sur mon paillasson encore dix secondes, je vous tire le portrait.

J'ai brandi mon Polaroïd. J'étais ridicule, il était troublé. Il m'a regardée un instant avec incrédulité. Il a tourné les talons.

Je reviendrai, a-t-il lancé.

J'ai crié dans la cage d'escalier.

Je ne vous le conseille pas...

J'ai attendu qu'il ait disparu de mon champ de vision. J'ai refermé la porte et j'ai déposé le Polaroïd sur un rayonnage de la bibliothèque. Je suis allée toquer à la porte du refuge.

Sortez de là, bande de dingues. La rigolade est finie. Tout le monde va se coucher.

Déjà ? a demandé Suzanne, déçue.

La visite de Sydney fut le dernier épisode de la traque, réelle ou supposée, d'Olivia. Il se passa deux jours encore avant qu'elle regagne sa chambre. J'observai quelque temps la consigne des rebuffades téléphoniques. Puis les appels se raréfièrent et disparurent, eux aussi.

Quelques semaines plus tard, Olivia m'a dit :

Tiens, Sydney est tombé. Il est en taule pour un bout de temps.

Bien fait, ai-je grommelé. Qu'il y reste, en taule.

Olivia a cligné des yeux avec mansuétude.

Je ne dirais pas ça. Je ne peux pas dire que je suis contente. Mais quand j'y réfléchis, si, quand même, je suis contente. Je me sens plus tranquille.

J'ai fait la moue.

Comment tu l'as appris ?

J'ai rencontré un mec dans la rue, hier. Figure-toi qu'ils ont rouvert un studio d'enregistrement, là, sur l'avenue, juste après la boulangerie. C'est drôle la vie, non ?

Moyen, ai-je répondu. C'est moyen drôle.

Ne t'inquiète pas, a assuré Olivia. Je ne fais plus partie de la bande. Ils le savent.

J'ai préféré la croire. Je n'ai pas insisté. Je me suis dit que si elle n'avait plus peur, c'est qu'elle n'avait plus de raison d'avoir peur.

9

Le soir, ils m'attendaient sagement pour dîner. Maintenant que nous vivions avec Olivia, je n'avais plus à me hâter, au milieu de l'après-midi, à écourter mes rendez-vous de travail. J'étais confiante. Mes journées étaient plus longues et mon temps plus serein. Je ne cessais de travailler que pour être de retour à sept heures. Souvent, je m'arrêtais en chemin pour faire les courses.

Olivia chantonnait en vidant le Caddie que je venais de remonter du Franprix. Elle rangeait les objets avec fantaisie. Je la regardais pensivement, en fumant une cigarette.

Mon Dieu qu'elle est grosse.

Voilà ce que je me disais.

D'une main, je me tâtai distraitement la hanche que j'avais saillante comme un outil néolithique.

Comment fait-elle pour grossir si vite ?

Je savais qu'elle était boulimique. Elle me l'avait dit, à l'occasion. Mais je ne la voyais pas manger.

C'est bizarre, je ne te vois jamais manger.

Olivia a fini d'enfourner les paquets de céréales dans le fond du placard et elle a claqué la porte.

Splitch, a fait l'aimant.

Les céréales étaient inaccessibles, elles voisinaient avec les bidons de lessive. Elle s'est retournée et m'a contemplée un instant, avec une pitié interloquée.

Un alcoolique, tu le vois boire, toi ?

Non, ai-je constaté.

Je comptais assez d'alcooliques dans ma famille pour le savoir.

Et un drogué, tu le vois se droguer ?

Non plus, tu as raison.

Des drogués, j'en avais aussi, mais moins.

Ah tu vois ? Le boulimique, c'est pareil. Difficile à prendre la main dans le sac. Faut savoir déduire.

J'ai opiné. Quand on veut se mêler de la vie des gens, on peut s'épargner les questions. Il suffit de regarder et d'attendre. Tout le monde finit par se répandre, un jour, pour peu qu'on le voisine avec suffisamment de compassion.

J'allumais une autre cigarette quand on a sonné. Suzanne et Thomas se sont précipités vers la porte en hurlant. Nous étions mardi soir. Jean-Patrick passait chercher ses enfants.

Papa, papa ! criaient les mômes.

Je crois que c'est papa, a fait Olivia.

Bonjour papa, ai-je fait.

54

Jean-Patrick s'est encadré dans la porte de la cuisine.

Bonjour les filles, a-t-il répondu et il s'est ébroué.

Une tonne d'eau est tombée de son K-Way.

Il pleut, a-t-il expliqué, car il ne s'excusait jamais.

On dirait, ai-je dit. Tu n'as qu'à dîner ici. Je viens de faire les courses.

Dans les multiples avantages qu'il y a à se séparer pour la vie de quelqu'un que l'on a aimé pour la vie, je compte celui de pouvoir l'inviter à dîner à l'impromptu, au bord du soir, lui et ses gosses.

Vendu, a fait Jean-Patrick et il a ôté son K-Way.

L'eau du ciel a fini de se répandre sur mon carrelage et je me suis levée pour prendre la serpillière.

Après le dîner, Jean-Patrick nous a fait une démonstration d'ombres chinoises. Il s'est placé de profil et il a dessiné, sur le mur blanc de la salle à manger, des figures simples que les enfants identifiaient en trépignant. Je les ai admirés. Ils parvenaient à établir de subtiles différences entre les tremblantes esquisses que je prenais toutes, peu ou prou, pour des reflets de lapin.

Puis Thomas s'est levé de table.

À moi maintenant. Je vais faire des imitations et vous allez trouver les gens.

Olivia et Jean-Patrick, pleins d'approbation, ont tourné leurs sièges vers lui. Je me suis appuyée contre le mur et j'ai croisé les bras, remplie d'une fine anxiété. J'ai horreur du spectacle.

Thomas a laissé là son visage ordinaire, rêveur et lointain, son regard absent. Il a pris les yeux avides, le sourire vif, l'allure canaille. Il roulait les épaules, il feignait de mâcher un énorme chewing-gum.

T'inquiète pas, moi aussi j'en ai eu des mauvaises notes...

Olivia! a hurlé Suzanne.

Pas si vite, a fait Thomas, laisse chercher les autres.

Il a poursuivi.

T'es pas obligé d'en parler tout de suite à ta mère. T'as qu'à attendre le bulletin. On ne dira rien, hein Suzanne qu'on ne dira rien? Les profs, ils se rendent pas compte du mal qu'ils font... On va passer par la boulangerie, tiens. On va se consoler.

OK, ai-je dit à mon tour, c'est Olivia.

J'ai jeté un coup d'œil vindicatif à Olivia, qui rigolait à petit bruit, à demi confuse, à demi ravie.

Maman a gagné, a constaté Thomas.

Suzanne s'est insurgée.

Et moi?

Toi, ça ne compte pas. C'est trop facile. Bon, une autre maintenant.

Jean-Patrick a regardé sa montre.

Oui, mais dépêche-toi. Il est déjà neuf heures.

Thomas a enfoncé ses poings dans ses poches. Il a voûté ses épaules étroites et incliné le visage vers le sol.

Mon Dieu, ce que je suis vannée... Du boulot toute la journée et j'ai pas fini. Salut les enfants! Pas de problème à l'école? J'ai pensé à vous. Je vous ai acheté des cadeaux. Des livres. Des tas de livres. Mille millions de livres. Sans une seule image. Pas mal, non? Vous pourriez dire merci, quand même. Faites un effort. Soyez sympa.

Le bras levé, Olivia a sauté sur son siège.

Ta mère !

C'est ça, a fait Thomas.

J'ai deviné à cause des livres. Quand elle dit qu'elle a apporté des cadeaux...

Jean-Patrick s'est levé.

On y va ?

Juste une dernière, a dit Thomas. Regardez bien. Bonjour mon garçon. Qu'est-ce que c'est que ces fils qui pendent au bout de tes chaussures ? Allez, tout le monde s'assied et refait ses lacets ! Tout de suite ! Et plus vite que ça ! Si vous êtes sages, je vous emmène au Salon des arts martiaux...

Jean-Patrick a pris son K-Way sur le dossier de sa chaise.

Je sais, c'est moi.

C'est à cause des arts martiaux que tu as trouvé ?

Non, c'est à cause des lacets. Viens bonhomme, prends vos sacs à dos dans ta chambre, on y va.

À demain soir.

Huit heures ?

Huit heures.

J'ai refermé la porte sur eux trois, dans leurs vêtements de pluie, lui très grand, eux très petits. J'étais toujours heureuse de les voir ensemble. J'y gagnais un sentiment de paix, une évocation diffuse de l'accomplissement qui durait encore quelque temps après leur départ, un parfum qui demeure et s'estompe.

10

Quand même, vous vous entendez bien.

Olivia débarrassait le couvert avec une fureur indignée.

Oui.

Vous ne vous disputez pas.

Elle renversait le cendrier dans une assiette.

Non.

Alors ?

Alors quoi ?

Alors rien.

Les verres grinçaient, elle les empilait férocement, l'un dans l'autre, au mépris de la matière fragile qui les constituait.

Je savais ce qui la contrariait. Avec un peu de retard sur l'événement, elle déplorait, à son tour, que le couple se soit défait. J'avais l'habitude de la déploration. Je comprenais la nostalgie.

Excuse-moi de te poser la question, a-t-elle repris quelques instants plus tard, mais pourquoi vous vous êtes séparés ? Vous avez l'air d'être bien ensemble.

J'ai joué la feinte.

Je ne peux pas épouser tous les gens avec lesquels je suis bien. Ce ne serait pas légal.

Elle a insisté.

Tu ne veux pas me répondre ?

Peut-être que je ne veux pas, peut-être que je ne peux pas.

J'avais dû adopter un ton cassant, parce qu'elle a pris l'air contrit.

Je m'excuse, je ne voulais pas te faire de la peine.

Il n'y a pas de mal. Mais je mentirais si je prétendais te donner une raison qui explique pourquoi on se sépare un jour d'un homme qu'on connaît depuis vingt ans.

Alors, c'est que tu penses qu'il y a plusieurs raisons.

À ce stade, ce ne sont plus des raisons.

Tu n'arrêtes pas de ne pas répondre...

Mais qu'est-ce que tu veux à la fin ? Une phrase pour te clouer le bec ? N'importe laquelle ?

Oui.

Très bien, je vais t'en donner une.

Vas-y.

Nous nous sommes séparés le jour où j'ai pensé que j'allais mourir si nous restions ensemble.

Je me suis immédiatement détestée pour ma grandiloquence. J'aurais mieux fait de lui donner des griefs. Je n'avais pas à chercher longtemps. Quel que soit le mal qu'on se donne pour renouveler le genre, les griefs poussent sur la vie conjugale comme les champignons sur l'humidité. On peut toujours les ramasser et se les servir en omelette. À condition de se baisser. De fouiller la boue. De risquer l'empoisonnement.

Mais Olivia a hoché la tête. Elle aimait la réponse. Elle était satisfaite.

Tu vois bien que tu avais une raison ! Je me disais bien, tu n'as pas le genre à faire les choses à la légère.

J'aurais aimé parler avec Olivia, plus longtemps, toute la soirée, si elle voulait. Mais elle a regardé sa montre, elle s'est levée et elle est allée ouvrir la fenêtre. Elle a regardé le mouvement des voitures sur l'avenue.

J'attends quelqu'un, a-t-elle lancé en refermant la croisée dont l'huisserie résistait.

Par ce temps ?

C'est tout ce que j'ai trouvé à dire. Elle est revenue s'asseoir, elle a sorti de son sac une trousse de maquillage.

Je peux prendre la salle de bains cinq minutes ?

Je suis allée dans ma chambre chercher l'ordinateur. Sur mon bureau, dans une chemise grise, deux cents feuillets, tombés du stylo d'un homme politique. Il avait probablement travaillé la nuit, ou très tôt le matin, rassemblant des vélléités anciennes, bricolant de nouveaux chapitres, liant le tout à gros points, juxtaposant à la fin des photocopies de documents qu'il n'avait pas eu le temps de concasser.

Il s'agissait de réécrire ce fatras, non pour lui donner un sens mais pour l'habiller d'une forme qui simule la pensée. Agencées, les phrases s'y succéderaient sans heurt. Sur elles les yeux iraient leur chemin sans que l'esprit paresseux se révolte, tout à sa tâche ruminante, trouvant dans le ressassement comme l'arrière-goût de la réflexion.

Le plus douloureux était de m'abstenir de truffer le texte de mes avis personnels. Penser les choses sans rien en penser : la contrainte rendait fou, à la fin, et amer.

Le type, je ne l'avais pas vu. Je tenais le boulot d'un collègue qui avait beaucoup de clients et peu de temps. Nègre de nègre, je touchais quinze mille francs. Trois petits paquets de cinq mille, au fur et à mesure de l'avancée du boulot. De la main à la main. Sans déplacement. Exactement le type de travail que l'on peut faire la nuit, quand les autres sont couchés.

Olivia est réapparue, les lèvres brunes et laquées, les pommettes roses, les yeux agrandis par un camaïeu de teintes violettes et pailletées. J'ai été épatée, et brièvement jalouse, je ne savais pas me maquiller.

Elle a inspecté, une nouvelle fois, de la fenêtre, les abords de l'immeuble. Puis elle m'a lancé un regard joyeux et elle a claqué la fenêtre.

À demain, a-t-elle jeté en attrapant son sac.

Elle est partie. J'ai entendu l'ascenseur descendre les six étages.

Je ne lui ai pas demandé qui elle allait retrouver, dans la nuit, en dépit de la pluie de novembre, elle qui jurait ses grands dieux qu'elle ne voulait plus mettre le nez dehors.

Je n'étais pas très contente qu'elle me prenne pour la cible de ses mystères. Pour autant, je n'irais pas lui poser de questions. Je n'étais pas d'humeur à gober ses mensonges.

Je n'étais pas très contente, non plus, de son ingratitude et de la solitude qui était la mienne, maintenant qu'elle m'avait plantée, sans le moindre remords, sans me demander si je n'avais pas de peine à la voir partir ainsi, sans même me dire l'endroit où elle allait et qui elle rencontrait.

Allô Thierry, c'est moi. Je travaille et j'aurais bien aimé t'entendre un peu. Tu n'es pas rentré, ce n'est pas grave. Appelle-moi quand tu rentres, si tu veux, même tard, ça n'a pas d'importance, le téléphone est au pied de mon lit. J'espère que tu vas bien, en tout cas. À bientôt. J'attends ton coup de fil.

J'ai raccroché le téléphone, ma faiblesse me faisait honte. Plus cette honte était grande, et plus elle était profonde, plus je souhaitais laisser d'autres misérables messages, plus je voulais que l'on me rappelle, pour me rendre de la consistance, je n'existais plus qu'à peine, diluée dans la solitude et l'attente.

Je me suis couchée au petit matin, quand mes yeux se sont mis à pétiller, envoyant de petites étincelles crépitantes sur l'écran gris.

L'expert n'avait pas rappelé, évidemment. J'ai enlevé mes chaussures, j'ai approché le téléphone du pied de mon lit et je me suis enroulée dans la couette sans ôter mes vêtements. Pour m'endormir, j'ai pensé qu'il allait m'appeler, sans doute avait-il travaillé très tard dans la nuit, lui aussi. Il serait surpris et heureux de mon message.

Les mensonges auto-administrés ne me font pas peur. Quand il s'agit de dormir, je suis pour une morale de l'efficacité. Mon amour, ai-je donc pensé, mon amour, mais je n'ai pas pensé longtemps, j'ai sombré dans un sommeil profond, unie par la pensée à un homme qui ne m'aimait pas. Du tout.

11

Le réveil a sonné à sept heures. Je n'ai pas bougé d'un poil. J'ai compté. Deux heures de sommeil, seulement. J'ai noté que personne ne m'avait appelée, sans doute craignait-on de me réveiller. J'ai pensé que les enfants se levaient chez Jean-Patrick et que je n'avais pas de rendez-vous dans la matinée. Je me suis rendormie.

J'espérais, en me laissant glisser dans le sommeil, qu'Olivia me réveillerait, bientôt, comme elle avait l'habitude de le faire, elle qui n'avait pas de peine à sortir du lit le matin.

Elle faisait du café et m'en apportait un bol. Je m'agrippais à mon oreiller, j'ouvrais les yeux à demi, je saisissais le bol brûlant. Thomas et Suzanne entraient dans ma chambre. Tout le monde s'asseyait sur le lit, et le parsemait de miettes. Puis Olivia s'éloignait, elle ouvrait la fenêtre et allumait une cigarette dont elle soufflait la fumée dans l'avenue matinale. Il était temps de s'habiller et de commencer, l'école, le travail, n'importe quoi, quelque chose qui ressemble à la vie.

Merde onze heures.

Cette fois, je n'ai rien pensé du tout. Je me suis levée d'un bond, j'ai couru à la salle de bains, j'ai ouvert les robinets de la baignoire.

Puis j'ai filé à la cuisine pour faire un café.

Je venais de déposer la cafetière sur le feu quand la porte de service s'est ouverte. Olivia est entrée, à demi vêtue d'un T-shirt immense et gris, et tremblante sur ses mules, dans le froid sciant.

Ça va ? ai-je demandé.

Elle n'a pas répondu, le café a ronronné dans la cafetière et j'ai servi deux bols.

J'ai bu le mien en essayant d'ouvrir les yeux. En dépit de mes efforts, ils restaient clos, captant juste un rai de lumière. À garder le bol contre mon nez, à boire lentement, la buée a décollé mes paupières. Devant moi, Olivia était toute blanche, son visage gonflé, ses yeux deux meurtrières rouge sang.

Allons bon, ai-je pensé.

J'ai repris mes premiers mots de la journée. Je les ai remplacés.

Ça ne va pas.

Elle n'a pas répondu, je n'avais pas besoin de réponse, je savais ce qui allait se passer. Elle allait se mettre à pleurer. Et c'est ce qu'elle a fait. Elle a fondu en larmes.

Eh ben, ai-je radoté, ça ne va vraiment pas.

J'ai fini de boire mon café. Olivia pleurait toujours.

J'avais un peu de mal à rassembler les mots nécessaires, je ne suis pas très vaillante au saut du lit. Je me taisais donc, j'attendais. J'attendais qu'elle cesse de pleurer, j'attendais de retrouver les mots utiles, j'attendais que le monde explose et nous avec lui.

J'ai envie de mourir, a dit Olivia.

Tu ne m'étonnes pas vraiment, ai-je répondu.

C'est horrible, a poursuivi Olivia.

Elle ne m'écoutait pas, elle faisait comme si je n'avais rien dit.

C'est horrible de ne pas supporter le poids de son propre corps.

Je vais te porter, ai-je dit.

Je voudrais ne jamais avoir existé.

C'est très con. Qu'est-ce que je fais, sans toi, cet hiver ?

C'est le courage. Je n'ai pas le courage de vivre encore.

Tant pis. Je l'aurai pour toi.

Je me dégoûte trop.

Tu ne me dégoûtes pas.

T'as tort. Je suis une merde. Je devrais crever.

Je me suis levée de ma chaise, j'ai jeté mon bol dans l'évier, j'ai levé les bras au ciel, j'ai hurlé :

ÇA SUFFIT MAINTENANT.

Elle s'est ratatinée sur sa chaise, elle a mis sa tête dans ses bras, elle a sangloté.

Olivia, Olivia, ai-je dit.

Je ne suis pas allée vers elle, je ne l'ai pas prise dans mes bras, je n'ai pas posé la main sur son cou, sur son bras.

Nous ne nous approchions jamais, la règle s'était imposée entre nous. S'il nous arrivait de nous frôler dans l'appartement, nous nous excusions interminablement. Jamais nous ne nous embrassions pour nous saluer.

Il m'était arrivé, au début que nous nous connaissions, de m'approcher d'elle involontairement, par réflexe, et parce que je n'étais pas avare de contacts physiques. Elle n'avait pas reculé. Elle m'avait laissée poser la main sur son épaule, effleurer sa joue de mes lèvres. Mais j'avais senti tout son corps se raidir. Elle était révulsée.

Je n'avais nulle envie d'affronter son horreur. De transformer en attouchements ignobles d'insignifiants rituels de salut. J'avais immédiatement adopté sa répulsion.

Je n'avais pas pensé plus loin. Le contact m'était somme toute indifférent, la distance me convenait. Ce matin, baignée de pleurs, elle me semblait plus grande encore.

Je regardais le monde matériel, je voyais cette fille qui voulait mourir dès le matin, je cherchais à quelle branche nous rattraper, je me dis qu'elle avait les cheveux sales depuis plusieurs jours.

J'ai fait couler un bain, ai-je remarqué. Va te laver.

Tout à l'heure, a-t-elle dit.

Maintenant. Le bain est prêt. Quelqu'un qui veut mourir peut toujours se laver les cheveux. On est mieux propre et désespéré que sale et désespéré.

Peut-être, mais pas les cheveux.

Pourquoi pas les cheveux ?

Quand j'étais en Normandie, quand Mme Lerouilly me lavait les cheveux, elle mettait une bassine sur la table de la cuisine, et moi devant, toute nue. J'avais les cheveux très longs, le shampooing durait longtemps. Tout le monde y passait, dans cette cuisine, et tout le monde me regardait. M. Lerouilly s'arrêtait derrière moi. Quel cul elle a, celle-là. Je l'entends toujours qui répète : Quel cul elle a, non mais quel cul.

Et alors ?

Alors quand ça ne va pas, je n'arrive pas à me laver. Ça devient impossible.

Je te crois. On va dire que jusqu'à maintenant c'était impossible. Et hop, maintenant, c'est possible. Tu n'as qu'à vérifier. Prends une grande serviette dans l'armoire de la salle de bains et ferme la porte.

Olivia a grimacé. Elle a quitté la cuisine, la tête basse et le pas lourd. J'ai entendu claquer la porte de la salle de bains. J'avais retenu trois choses. Qu'elle arrêtait de pleurer quand elle parlait. Que d'une enfance chez les Lerouilly, il fallait s'attendre au pire. Et qu'est-ce qu'elle allait faire la nuit pour se retrouver si triste, au matin ?

Tandis qu'Olivia se baignait, j'entrepris de nettoyer la cuisine. Plus précisément, je fus prise d'un frénétique désir de chlore. Je balançai des rasades d'eau de Javel dans l'évier, sur la table et sur le sol. Je saisis l'éponge d'une poigne impitoyable, je m'agenouillai sur le carrelage humide. Les mains me brûlaient bien un peu mais je m'en foutais. Je passai un bon moment, un moment heureux à briquer, et quand Olivia pointa le nez par la porte, enroulée dans mon peignoir et les cheveux trempés, la cuisine resplendissait. Le regard que je lui adressai était empli d'espoirs et de triomphes minuscules.

T'as vu comme c'est propre ?

Évidemment, deux cafés et quelques cigarettes plus tard, la cuisine n'était plus aussi nette. Cette constante oscillation qui va du sale au propre et du chlore à la crasse est une heureuse leçon de vie. Une dame qui se flatte que faire et défaire, c'est toujours travailler, ne dit pas autre chose qu'un sage qui oppose la grandeur des chemins aux vanités des buts.

Comme je l'avais espéré, Olivia lavée s'était apaisée. Il n'y avait plus que la tristesse qui allait et venait en elle comme une vague, clapotant par moments au bord de ses paupières.

Je ne tenais pas trop à reparler des Lerouilly. Ils me reviendraient bien assez tôt, eux et leur trop probable cortège de calamités. Pour l'heure, je n'avais pas de temps, je devais aller travailler. Mais avant de partir, je voulais enserrer Olivia dans un filet suffisamment étroit pour qu'elle n'ait pas le loisir de gigoter, et de retomber toute seule en bas de l'échelle.

Olivia, dis-je, j'ai besoin que tu m'aides. Je n'aurai pas le temps de...

Je dressai une liste de courses urgentes qui l'emmèneraient du bureau de poste à la maison de la presse, de l'épicier au buraliste. J'entassai des vêtements chiffonnés dans le panier du repassage. Je lui demandai enfin de chercher, dans les journaux et dans le *Pariscope*, à quelles activités convier Thomas et Suzanne, dimanche. J'aurais tellement aimé que nous fassions quelque chose ensemble, pour une fois.

Ensevelie sous l'avalanche des recommandations, Olivia acquiesça, les yeux las. Je préparai mon sac et je partis tranquille. Elle était occupée jusqu'à mon retour.

Dans la rue, le vent vif me prit fermement, par tout le corps. Sous la toile du pantalon, mes jambes se firent fines et dures. Le visage me chauffait, les oreilles et les mains. Je remontai le col de ma veste. L'expert ne m'avait pas appelée. Mais à cette heure du jour, dans la lumière froide de midi, son silence ne me laissait pas si désemparée. J'avais consolé Olivia. J'avais lavé la cuisine. J'allais travailler. Je savais bien que j'étais vivante.

12

Admettons, ai-je dit à Jean-Patrick le soir même, sur le pas de la porte, admettons que je n'aie plus d'argent, je n'arriverai plus à payer l'appartement.

Pas de problème, a répondu Jean-Patrick avec un bon sourire. Je prendrai les enfants.

C'est bien, ai-je dit, rassurée.

J'avais une trouille infecte de me retrouver sans argent pour les loger. De ne plus y arriver. Un jour. Bientôt.

Sur la table de la salle à manger, les courses étaient disposées dans l'ordre de la liste, le linge repassé empilé sur mon lit, nous avions trois tickets à tarif réduit pour la matinée du dimanche au cirque de Reuilly, les cheveux étincelaient dans la lumière des lampes. Les larmes de la matinée étaient taries. Trônant dans ses mules royales, Olivia portait sur l'appartement un regard serein. Je m'inclinai devant le travail accompli, me fendant d'une profonde révérence mentale, baisant mentalement ses pieds de peluche.

Qu'est-ce qu'il fait comme métier, exactement, Jean-Patrick? m'a demandé Olivia, coupant court aux vaines gratitudes.

Professeur d'histoire-géo.

Elle n'a pas commenté.

Je pense qu'il est très bon professeur, ai-je remarqué.

Ma parole ne suffisait pas. J'ai cherché une preuve.

Il a travaillé à La Courneuve, à la cité des Quatre-

Mille. Maintenant il enseigne à Saint-Denis, dans un LEP.

Ça ne veut rien dire. Des fois, c'est les pires, a bougonné Olivia.

Olivia n'avait pas été une mauvaise élève. Elle avait même été plutôt brillante, et de bonne volonté. Elle avait sans doute aimé l'école, sa bonne discipline et la joie que l'on trouve à apprendre. Il en restait des traces. Son orthographe, toujours logique à défaut d'être toujours exacte. Son application à s'asseoir à une table avant d'ouvrir le cahier de textes, et la satisfaction qu'elle éprouvait à ranger un cartable. Sa capacité à additionner, à soustraire, à opérer une règle de trois. J'aurais aimé retrouver ses instituteurs, pour parler avec eux de la petite fille qu'elle avait été, et que j'imaginais à son image, joyeuse, bavarde et appliquée.

Les choses s'étaient gâtées plus tard. Au collège, elle s'était noyée dans le flot opaque des savoirs. Il n'y avait pas de bouée de sauvetage. Y en aurait-il eu une, elle n'aurait trouvé personne pour la lui lancer. Combien de temps faut-il pour désespérer un enfant ? Une semaine peut suffire. Un mois. Un an.

Olivia ne fit somme toute que ce que l'on attendait d'elle : elle cessa progressivement de venir aux cours. Rappelée à l'ordre, elle se montra insolente, puis insultante. S'ensuivit un conseil de discipline, et puis un autre. Elle fut renvoyée, admise dans un collège plus éloigné. Elle tâta de l'internat. Elle essaya la fugue.

Elle dormit dans les fossés, elle vola au supermarché.

Après quatre ans de ce régime, tout le monde en avait marre, elle la première. Non qu'elle refusât d'apprendre, la question n'était plus là depuis longtemps. Mais enfin, chacun savait qu'elle avait perdu la guerre, on attendait qu'elle capitule.

La directrice était assise derrière son bureau. À côté d'elle, se tenait le prof de français. Peut-être parce qu'il n'y avait qu'en français que je m'intéressais encore un peu.

Mademoiselle Bernier, m'a dit la professeur, vous n'avez pas voulu écouter nos conseils, vous avez refusé de vous plier aux règles de discipline qu'observent tous vos camarades, l'école n'est pas tenue de garder les jeunes en situation de rupture. Si nous avions deviné chez vous le plus petit, je veux dire le moindre désir de vous intégrer dans la communauté scolaire, nous aurions fait un effort, en dépit de vos lacunes qui sont immenses, insurmontables même, il faut en avoir conscience. C'est malheureusement impossible.

De quoi, c'est impossible ?

Je ne voulais pas leur répondre à ces deux vieilles peaux, mais je ne voyais personne d'autre à qui parler.

C'est pas moi qui est impossible, c'est l'école...

Je vous en prie, n'aggravez pas votre cas. Le problème, vous m'entendez, le problème c'est que vous vous comportez comme une folle, et contre la folie, nous, je veux dire le corps enseignant, nous ne pouvons rien faire, n'est-ce pas madame, elle parlait à la directrice. Elle ne me parlait même pas à moi, je n'étais rien, pas même un chien, pas même une merde de chien, rien.

Elle haussait le front et toutes les rides se ramassaient

vers le haut, dans ses cheveux. Je me suis mise à crier, je ne savais plus ce que je disais, enfin je ne disais pas les choses comme il aurait fallu les dire, j'avoue, je hurlais.

Folle, répétait la directrice en inscrivant des trucs sur un grand cahier, complètement folle.

Il a fallu un surveillant pour me sortir de là. Si j'avais pu, je l'aurais tuée, elle ou l'autre n'importe, je l'aurais saignée.

La question, tu vois, ce n'était pas tellement de sortir de leur sale école, personne n'en avait rien à foutre de moi là-dedans, j'étais bien d'accord avec elles. Excuse-moi, ça me fait toujours quelque chose de parler de ça, mais bon, tant pis, la question c'est que ma mère était folle. Ma mère je ne l'ai pas vraiment connue mais tu as vu sa photo, tu as vu comme je lui ressemble, comme elle me ressemble, je me suis toujours dit que j'étais comme elle. Toute petite, j'ai pensé que ma vie serait sa vie.

Quoi sa vie ?

Eh bien, dans un sens, fantaisiste et amoureuse, jolie femme quoi. Dans un autre sens, alcoolique. Folle. Je ne sais pas si je t'ai dit...

Si, tu me l'as déjà dit.

Quoi ?

Qu'elle avait été internée.

Non, qu'elle avait été violée par son père. Tu comprends pourquoi j'ai été dégoûtée de l'école. Ils ont juste le pouvoir de te casser. Et ils s'en servent.

Et ensuite ?

J'étais chassée, alors je n'y suis plus retournée. Je suis partie à Paris.

Je ne veux pas dire qu'il n'y en a pas de bons, des profs,

a-t-elle dit un peu plus tard. Simplement, je n'ai pas eu de chance. Les bons, à ce moment-là, ils étaient occupés ailleurs.

Toi, si tu avais le choix, maintenant, qu'est-ce que tu voudrais faire dans la vie ?

J'ai réfléchi. J'ai répondu en deux temps.

Si je pense à moi, je me dis que j'aimerais creuser un trou profond, me mettre dedans et m'endormir. Mais si je pense au monde, je me dis que j'aimerais écrire des livres. Mais bon, ça ne sert à rien de rêver, je n'ai pas le temps, ni pour le trou ni pour les livres.

Moi, je voudrais être clown. Je pense que je serais bonne. Je n'ai pas de mal à faire rire les autres.

Au mur de sa chambre, Olivia avait accroché un poster représentant un clown. Le dessin était laid. Le clown était sinistre. Il pleurait, évidemment.

Mille quatre cents francs.

Quoi mille quatre cents francs ?

Le stage de clown coûte mille quatre cents francs, il dure une semaine. Je me suis renseignée.

13

Je savais que je lui devais de l'argent. Quand Agnès me l'avait dépêchée, ce soir de septembre, pour garder mes enfants et parce qu'elle était virée simultanément de son emploi de standardiste et de l'appartement qu'elle partageait avec je ne sais qui, nous avions mené d'imbéciles négociations.

J'avais été incapable de tarifer le montant de ce que je demandais : s'occuper des enfants à la sortie de l'école en attendant mon retour, mais pas le mercredi, ils étaient chez leur père. Incapable de chiffrer ce que j'offrais : la chambre de bonne, là-haut, à l'étage au-dessus, elle n'était pas en très bon état mais je m'engageais à la faire repeindre. J'ajoutais la vie avec nous, la clé de l'appartement et les repas que nous prenions ensemble, mais comment calculer une valeur à tout cela, à moins de compter aussi le prix de l'air et de la lumière du jour ?

La Sécu était assurée par les Assedic, pour quelques mois encore. Fallait-il prévoir de l'argent en plus ? La carte orange, d'accord, et les cigarettes. Mais l'argent, justement, c'était le problème, je ne savais pas m'y prendre pour calculer, reprenons au début si vous voulez bien, combien coûte une chambre ? Ou alors, procédons autrement, dites-moi ce dont vous avez besoin, je ne veux pas que vous manquiez de quoi que ce soit, on s'arrangera.

J'avais pris un papier et un crayon, je gribouillais n'importe quoi, ni elle ni moi n'arrivions à arrêter ces deux chiffres : combien coûte une chambre de bonne à Paris et combien coûte une garde d'enfants quatre soirs par semaine. Assises face à face dans les canapés, nous marmonnions l'une et l'autre de grotesques approximations que nous annulions sur-le-champ.

Dites-moi franchement, Olivia, qu'est-ce que vous en pensez ?

Rien, avait fait Olivia, l'argent, laisse tomber, on se

tutoie. Je vais avoir un peu d'Assedic et après je vais chercher une sorte de mi-temps, j'ai toujours trouvé quand je cherchais. Déjà la chambre, c'est très bien.

Je mordillais mon crayon.

Tu ne penses pas que je te vole ?

Mais Olivia ne m'écoutait plus. Elle se levait du canapé pour reprendre son caban.

Je peux venir vers dix-neuf heures pour apporter mes affaires ?

Dix-neuf heures quand ?

Dix-neuf heures demain. Je n'ai pas grand-chose. Deux voyages en métro et c'est fait. Pour les meubles, je verrai la semaine prochaine.

Elle me prenait de court. J'aurais aimé réfléchir avant de décider.

Très bien. Demain. Et pour l'argent, on verra au fur et à mesure.

J'y revenais de temps à autre.

Et pour l'argent ?

Ça va, répondait-elle.

Tu es sûre ?

Sûre. T'inquiète pas.

Tu peux me prêter deux cents francs ? disait-elle aussi. Je te les rendrai.

Elle les rendait toujours, au terme de micro-comptes effrayants de précision pour moi qui n'ouvrais jamais mes relevés bancaires, appréciant au jugé les flux de l'argent, les solstices et les équinoxes. Je savais bien, de toute façon, quand j'en avais et quand je n'en avais plus. Dans ce dernier cas, comme je ne savais pas réduire, j'augmentais, mon travail en l'occurrence, ou j'empruntais à la banque et nous tenions la tête hors de l'eau.

Je haïssais l'argent, d'une haine insensée, faite de crainte et d'envie. Il était mon ennemi et j'entendais me battre. Je connaissais des victoires et des défaites, des razzias et la peur sauvage de l'engagement. Et pour finir, je gagnais ma vie.

Mais je ne connaissais ni trêve ni traité de paix. Toujours reconduits, les affrontements m'épuisaient. Évidemment, je déraillais.

Mis à part de minuscules culottes rouges à pompon, je fus vite convaincue qu'Olivia ne s'était jamais acheté un vêtement de sa vie. On lui donnait, ici ou là, quand elle était de passage, un pull acheté trop grand, une paire de boots trop étroites.

Franchement, je n'ai besoin de rien, disait-elle.

Elle n'aimait pas dépenser l'argent, comme elle n'aimait pas le gagner, elle ne souhaitait pas avoir à faire avec lui, ou alors le moins possible, juste l'argent du pain et celui des cigarettes, et encore, dans ce cas elle refusait l'échange, elle préférait qu'on le lui donne. Je n'aurais jamais pensé que quelqu'un d'aussi pauvre puisse fuir l'argent à ce point. Je me dis aussi que je lui ressemblais, qu'elle me ressemblait, et qui se ressemble s'assemble.

Très vite, les activités d'Olivia avaient débordé le champ convenu de la garde des enfants. Quand je sortais le soir, elle veillait sur Suzanne et Thomas. Quand le repassage s'était accumulé, quand la vaisselle débordait l'évier, quand la poussière avait tout recouvert, jusqu'à l'aspirateur, elle retroussait ses manches. Jamais nous ne décidâmes d'un calendrier des tâches ménagères. C'était selon. Parfois nous étions sales. Mais parfois, il y avait une délicieuse surprise à rentrer dans un appartement propre et lustré.

De tout cela, de l'œuvre ménagère, je ne payais rien. Mais je savais que ce n'était pas juste. J'étais endettée, reconnaissante et embarrassée.

Dans l'annonce du stage à mille quatre cents francs, j'entendis une proposition de remboursement.

Parfait. Je te fais un chèque. Je te dois plein d'argent pour le repassage, la vaisselle, les baby-sittings le soir.

C'était trop facile et j'aurais dû le savoir. Olivia a décliné.

Laisse tomber. Je l'ai, l'argent. Je suis déjà inscrite, pour la première semaine des vacances de Noël. J'ai vérifié, te bile pas : les enfants seront chez Jean-Patrick.

J'étais si surprise que j'ai eu un instant la gorge serrée.

Il vient d'où ce fric ?

T'en fais pas. Je me débrouille.

Pas de conneries, hein ? Pas de trucs illégaux.

T'en fais pas, je te dis.

Nous avions connu les embrouilles du papier alu. Nous connaissions les énigmes des sorties de nuit. Nous connaissions maintenant les mystères de l'argent. Je ne parle pas des mille petits mensonges semés par-ci, par-là, par souci esthétique et par volonté de simplicité. Je parle juste des secrets énormes qu'elle avait déposés entre nous, au milieu de notre vie, comme des obstacles, comme des interdictions, comme des cariatides.

Je suis contente, ai-je remarqué. Je veux dire : contente pour le stage de clown. C'est une très bonne idée.

Oui, a approuvé Olivia, exactement comme si je lui parlais de quelqu'un d'autre. Je trouve aussi que c'est bien.

Mais pour l'argent, j'ai peur que tu fasses des bêtises. Je préférerais que tu me demandes. Je préférerais te payer. Ce serait plus simple.

J'aime autant pas. Laisse-moi faire.

Ce soir-là, j'ai lancé une invitation à dîner. J'ai appelé mon frère. J'ai laissé un message sur son répondeur. Puis j'ai rappelé une heure plus tard. Je voulais lui lire un petit poème de Ronsard, mais le répondeur a coupé le texte à la troisième strophe.

Un peu plus tard, j'ai renoncé à me mettre au travail. Demain, me suis-je dit, demain tant et plus. Je me suis allongée. Je n'ai pas eu le loisir de prier. J'avais à peine posé la joue sur l'oreiller que l'œil s'est fermé avec gratitude.

Le téléphone m'a réveillée. Minuit et demi. C'était l'expert.

J'ai gardé la tête froide. Dans l'ordre de nos habitudes, évitant les sentiments, nous avons décidé de nous retrouver vendredi, le soir, au restaurant.

Ses horaires me convenaient. Il travaillait volontiers jusqu'à une heure tardive. Je n'avais pas à voler pour lui Suzanne et Thomas. Quand je les laissais à la garde d'Olivia, ils dormaient profondément.

J'eus un peu de mal à me rendormir. Entre l'amitié et

l'enfance, entre l'argent, le travail et l'amour, je me suis demandé où les gens prenaient le temps de se reposer.

Au petit matin, j'ai rêvé que j'assistais au tournage d'un film pornographique. Un insecte à la carapace noire, mi-cafard, mi-scarabée, était allongé sur une jeune femme blonde. Le plan était large, les deux corps s'opposaient violemment, la chitine noire et brillante de l'insecte, et la peau délicate et rosée de la jeune femme. Il y avait là-dedans une très grande beauté, une très grande terreur et une très grande excitation.

Réveillée en sursaut par l'excès d'émotion, je priais le Seigneur de m'épargner les rêves fatigants pour le reste de la nuit. Je me rendormis sans difficulté.

14

Il y avait des hauts, il y avait des bas, mais il n'y avait plus de cataclysmes. Les bonheurs et les aléas, les mensonges et les vérités, le tout passait aisément dans le filtre soyeux du quotidien. Dans l'ensemble, les choses allaient mieux. Si elle n'avait pas encore maigri, Olivia avait cessé de grossir.

Je surveillais d'un œil sa consommation de psychotropes. Je lorgnais les symptômes. Je m'étais inquiétée un temps de ses yeux trop noirs, de son humeur vacillante, de ses brusques sommeils.

Tu fais gaffe aux médicaments, signalais-je, un soir qu'elle avait le visage épuisé et le regard vide.

Elle semblait triste. J'étais soucieuse. Je voulais bien du désespoir, la tristesse me désarmait.

T'inquiète, avait grommelé Olivia. Je connais la chanson.

Qu'elle la connaisse ou pas n'y changeait rien. Je n'aimais pas la chanson.

Elle s'endormait sans raison, à des heures incohérentes, n'importe où dans l'appartement, elle était un petit morse assommé sur un coin de canapé. Suzanne et Thomas respectaient son sommeil. Ils jouaient à proximité, ils semblaient la veiller.

Sur l'instant, ils composaient un joli tableau. Dans le fond, j'aimais autant que la situation ne s'éternise pas.

Je ne suis pas contre les médicaments, ai-je donc commencé, un matin que nous étions tranquilles dans l'appartement.

Moi non plus, a répondu Olivia d'un air matois.

Elle me regardait avec curiosité, à peine inquiète.

Quand on en a besoin, bien sûr, ai-je poursuivi. Je pense que tu en as besoin, en ce moment.

Ouais.

Elle attendait, debout devant moi, de voir où je voulais en venir.

L'Alcyon, ai-je dit alors avec légèreté, comme si je passais du coq à l'âne, l'Alcyon est une belle saloperie.

Un bref sourire est passé sur son visage. Puis elle a froncé les sourcils.

J'ai l'impression, a-t-elle soufflé.

Au début ça aide à dormir, mais ensuite ça rend fou.

Fou comment ?

Raide fou. Parano. Je crois que quelqu'un qui garde des enfants ne devrait pas en prendre. À cause des risques. Pas tellement pour la personne, pour les enfants.

Tu crois vraiment que ça craint pour les enfants ?

Vraiment, il suffit de se renseigner.

Mais imagine une personne très angoissée qui n'arrive pas à dormir. Elle veut prendre un médicament pour se reposer un peu. Si elle n'a pas d'Alcyon, qu'est-ce qu'elle fait ?

Elle demande à un médecin de lui prescrire un calmant moins toxique.

Olivia réfléchissait en silence. Je conclus :

Si jamais tu en avais besoin, pour faire la jonction, on ne sait jamais, j'ai du Lexomil. Dans l'armoire de la salle de bains, dernière étagère. Tu n'as qu'à te servir.

La discussion s'arrêta là. Les sommeils diurnes aussi. L'Alcyon n'était peut-être pas en cause. Mais quelque chose bougea, on ne sait pas quoi, n'importe. La boîte de Lexomil prit une claque, ce fut l'indice matériel du changement.

Ma lâcheté me conduit, d'ordinaire, à ne jamais aborder un problème de front. À la confrontation, je préfère encore la défaite. Je suis de la confrérie du biais. Cette inclination à la duplicité se révéla la bonne stratégie pour traiter avec Olivia. Elle entretenait, elle aussi, la phobie du conflit. Discuter franchement ne nous menait à rien. Elle ne m'écoutait pas.

Il fallait négocier. Dans un premier temps, je parlais

81

et mes propos semblaient se perdre dans un marais d'indifférence. Oui, oui, mumurait Olivia, le front contrarié, visiblement occupée à penser ailleurs. Mais le plus souvent, mon petit discours me revenait en boomerang, présenté comme le conseil d'un vieil ami. Elle me resservait mot pour mot ce que je lui avais servi la veille.

La méthode la plus efficace consistait encore à déployer le paravent de la généralité. Plus le propos était concret, et plus précis les détails, plus le paravent nous préservait.

Imagine, disais-je, une personne très instable et qui se drogue depuis des années...

Hum, faisait Olivia et elle plantait son visage dans ses paumes, le menton tendu vers moi, les lèvres pincées sous l'effet de la concentration.

Cette personne..., continuais-je.

En fin de parcours, il arrivait qu'Olivia remarque :

Tu vas rigoler mais ça me fait penser à moi, cette histoire.

À force de généralité, je me mis à participer moi aussi au destin contrarié de cette personne. Par plus d'un point, elle me ressemblait.

Au début du mois de décembre, la télévision diffusa *Greystoke*, un film qui relate l'histoire de Tarzan. J'aimais le regard louche de l'acteur, ses cris expressifs, ses colères incomprises. D'une manière générale, j'étais touchée par les drames familiaux et j'éprouvais de l'affection pour les grands singes. Et j'étais bouleversée par l'idée que les parents, qui sont des créatures naturellement si émouvantes, puissent être en outre des chimpanzés. Je gardais les yeux mouillés de larmes tout au long de la soirée.

Suzanne et Thomas ne furent que modérément émus. Ils se préoccupèrent de savoir si les singes représentés étaient de vrais chimpanzés ou des poupées. Ils s'attachèrent ensuite à distinguer ceux qui étaient probablement vrais de ceux qui étaient faux à coup sûr. Tout au long du mois de décembre, je fis le singe dans le couloir de l'appartement. Je poussais des grognements affectueux, les enfants grimpaient sur mon dos et s'accrochaient à mon cou. J'adorais sentir leur poids sur mes épaules. Nous roulions cul par-dessus tête en riant.

La date du stage approchait. Olivia ne s'adressait plus à nous que les bras ouverts et la voix claironnante : Bonjour bonjour les petits enfants !

Thomas, Suzanne et tout ce que l'appartement comptait de gosses le soir après l'école, tous adoraient qu'elle fasse l'auguste.

J'en étais réduite à taire la méfiance que m'inspirent les clowns, les blancs, les rouges, et tout ce cafard que me colle le cirque. Enfant, j'évitais déjà les chapiteaux et la misère qui grandit sous la toile, parade et s'offre en spectacle à la première occasion.

Je butai, en rentrant un soir, sur une paire de chaussures de clown abandonnée sur le paillasson. Je m'habituai à ranger dans un tiroir de la cuisine les nez de plastique rouge oubliés sur les chaises, coincés dans les recoins des canapés.

Olivia fut convoquée à une réunion de préparation. Elle en revint enthousiasmée. Au dîner, elle évoqua pour nous et dans le désordre les diverses théories du clown. Une bonne fois pour toutes, il fut entendu que « le clown » n'est pas un type qui se couvre de ridicule pour faire rigoler la galerie, mais une discipline exigeante et complexe, qui vaut bien la peinture, la danse classique ou l'exégèse biblique.

Elle en ramena de nouveaux amis, que nous allions voir défiler au cours des semaines à venir. Des jeunes filles attachantes, des jeunes gens ballots, quelques traîne-savates désœuvrés, grands fumeurs de haschisch et petits filous. Elle s'attacha à ces derniers. Elle avait une forme d'intuition pour se tromper du tout au tout sur la fiabilité des amis qu'elle se choisissait.

Un soir qu'elle esquissait devant Thomas et Suzanne les principales figures du clown, le téléphone sonna. Je me levai du canapé où j'assistais à la représentation.

Allô, fit la voix, excusez-moi, je ne voulais pas déranger, mais c'est Yvette, vous savez, la sœur d'Olivia...

Je regardai par la porte vitrée du salon. Avec un étrange déhanchement, Olivia avançait devant les gamins médusés. Elle se penchait vers eux avec de grands gestes des bras. Elle écarquillait les yeux dans son visage lisse, elle ressemblait à quelqu'un, oui, elle ressemblait à Annie Fratellini.

Je vais voir si elle est encore là, répondis-je sans chaleur.

Olivia, dis-je, c'est ta sœur. Tu veux lui parler ?

Olivia se figea. Les bras retombèrent. Étonnés, Thomas et Suzanne tournèrent la tête vers moi.

Je peux lui dire que tu n'es pas là...

Trop tard. Olivia s'approchait du téléphone, le regard vide. Elle repoussa derrière elle la porte vitrée.

Qu'est-ce qui se passe ? demanda Thomas.

Rien, répondis-je. C'est sa sœur qui téléphone.

J'avais commencé à lire une histoire quand Olivia revint dans la salle de séjour. Elle ne reprit pas sa représentation.

Demain, dit-elle aux enfants. Ce soir je n'ai plus le courage.

15

Pas mal, dit Cécile avec un sifflement admiratif.

Je me dis que j'avais de la chance de me compter parmi ses amies. J'étais fière de son attention, elle n'avait pas la réputation d'être gentille.

Je sortis le sucre de son emballage de papier. Je le fis basculer sur le rebord de ma tasse de café.

Oui, mais je travaille beaucoup.

Quand même, reprit Cécile rêveusement, elle rêvait sans doute à son découvert. Vingt mille balles c'est pas mal.

Il faut ça, rien que l'appartement m'en coûte presque neuf mille.

Eh bien tu y arrives.

Il était tôt et j'étais encore toute proche du sommeil. Je fus prise d'un élan vaniteux.

Je peux faire plus.

Beaucoup plus ?

Oui, certains mois beaucoup plus. En tout cas, jamais moins.

Tu t'en sors bien.

Je tournai ma cuillère dans la tasse et le café fit un fier tourbillon. J'avais beau adorer le réconfort que m'apportaient Cécile et son approbation inattendue, je n'arrivai pas en profiter très longtemps.

Ce que je fais ne sert à rien. Je n'écris que des conneries. Ça me déglingue, l'idée de tout ce temps passé en conneries, de tout cet argent dépensé en conneries.

Cécile haussa les épaules.

Qu'est-ce que tu en as à foutre ?

À la fin, ça me mine. Je n'aime pas ce que je fais.

Et alors, les autres, tu crois qu'ils aiment ce qu'ils font, les autres ?

Sans doute. Un peu. Assez. Ils sont obligés. Ou alors ils ne travaillent pas beaucoup.

Oui, dit-elle. Et comme ils ne travaillent pas tellement, ils ont le temps de faire de la planche à voile.

Du parachute.

Des maisons de campagne.

Des courses à Carrefour.

De la dépression.

Nous avons rigolé, mais il n'y avait pas de quoi rire, ni pour les autres ni pour moi. C'était toujours gâchis et compagnie.

Ensuite nous avons parlé de types. De types avec lesquels nous couchions. Nous nous sommes moquées cruellement, d'eux et de nous. Nous avons encore rigolé. Ce n'était pas plus drôle.

Cet appartement est trop cher pour toi, m'avait dit Vincent, une nuit d'août.

Nous revenions du restaurant, la nuit était chaude, sa femme était en vacances et nous allions dormir chez moi. Nous marchions côte à côte sur le trottoir, tenant les guidons de nos vélos de part et d'autre de nous, nous ne pouvions pas nous prendre par la main, c'était juste avant que mon vélo ne soit volé.

Je n'avais pas mal pris sa remarque. Il y avait peu de temps que nous nous étions retrouvés et, après toutes ces années d'absence, je lui vouais une forme d'attachement proche de l'adoration. Il avait la voix calme, le regard calme, les mains calmes. C'était un garçon raisonnable, là nichait sans doute la source de l'adoration.

C'est cher mais c'est beau, étais-je convenu, à demi ébranlée par sa certitude.

Bien sûr, avait-il tempéré. Mais pour la même surface, à quelques kilomètres de Paris...

J'avais souri, j'avais fermé mes oreilles. Je me fichais bien de savoir quel prix j'aurais payé pour vivre là où je ne voulais pas vivre.

Non non, avais-je donc chantonné, pas de banlieue, seulement Paris. Vois-tu, je n'ai pas besoin de meubles, ni de vêtements, ni de vacances, ni de voiture. Mais je veux aimer les pièces où je vis, la chambre où je me réveille, les rues dans lesquelles je marche.

Bien, avait admis Vincent.

Il aimait que je sois fantasque et désordonnée. À cause de son calme, je suppose, je lui servais d'antipode.

Après tout, avec un peu de chance, tu trouveras un jour un vieil appart pas trop cher dans le quartier.

Nos guidons s'étaient heurtés. En matière d'appartement, je savais bien que je ne faisais pas partie des gens qui ont de la chance.

Nous avions attaché nos vélos l'un dans l'autre, à un banc sur l'avenue. Avant de faire le code de la porte d'entrée, j'avais levé le nez au ciel, les yeux dans la nuit saturée, la nuit rouge de Paris. J'avais inspiré profondément son bon parfum de ville, son odeur minérale. Puis j'avais fouillé dans mon sac et sorti mes cigarettes. Vincent ne fumait pas. Il avait secoué la tête, il était si souvent désapprobateur et ravi.

Après avoir quitté Cécile, je m'étais engouffrée dans le métro, jetant un coup d'œil à la pendule murale qui surplombe les portillons. J'étais presque en avance.

Une demi-heure plus tard, je regardais, par la baie vitrée du septième étage, le ciel gris sur les toits gris, la lumière timide et sale, les reflets bleutés du zinc. Je pris un feutre dans la poche de mon blouson, j'attirai à moi le cendrier.

Jérôme tenait un gobelet de café dans chaque main. Il a poussé du genou la porte de la salle de réunion. Il a souri et je me suis demandé à quoi ça pouvait ressembler de coucher avec Jérôme, un jour en semaine, au *Mercure* du bout de l'avenue par exemple.

Au travail, a-t-il lancé avec entrain.

Au travail, ai-je repris un ton en dessous.

Il fallait que je fasse bien attention à ne pas le regarder trop fixement. Son visage était couvert de plaques rouges et sèches. Il desquamait, comme une couleuvre. Pour un type qui passait ses jours et ses nuits au bureau, c'était injuste.

Je mourais d'envie de lui poser des questions sur l'état désastreux de son épiderme. Mais je n'allais pas le faire. Nos relations étaient chaleureuses, mais récentes. Elles s'arrêtaient à la porte de son agence. Et puis il aurait mal compris. Il aurait pensé que je me moquais de lui. Que je le plaignais. Que je le draguais peut-être, il était catholique et conservateur. C'est normal que tu fasses un eczéma, aurais-je aimé lui dire. Je te vois mal faire une dépression.

Bon, a dit Jérôme avec un sourire enfantin qui désarmait toute tentative de conversation sérieuse. Le projet t'intéresse ?

Le projet ne m'intéressait pas du tout. Ce qui m'intéressait, c'était l'argent. Mais ils voulaient tous des simulacres d'amour, alors je les donnais, il faut savoir ce qu'on veut, moi je voulais travailler.

C'est une idée excellente.

Je soupesai avec respect le dossier qu'il venait de me coller entre les mains.

On va pouvoir faire quelque chose de vraiment excitant.

Ouiiii, a approuvé Jérôme.

Il était heureux. Le plaisir lui dessinait un arc de rides autour des yeux.

C'est ce que je me suis dit. Un vrai travail d'enquête, une vraie réflexion. J'ai tout de suite pensé à toi.

J'ai déposé le dossier sur la table.

Jérôme, tu es un ange. J'adore travailler avec toi.

Il n'y avait pas de quoi être fière ; c'est ainsi que je procédais avec ceux qui me faisaient travailler. Ils étaient si conscients de la vanité de leur activité qu'ils attendaient toujours qu'on les conforte. On pouvait renchérir sur leurs propres propos. On pouvait aussi s'épargner les efforts rhétoriques. Une bonne démonstration d'affection faisait très bien l'affaire.

D'une main amicale, j'ai éparpillé les feuillets sur la table.

Je suis à toi, vas-y, je note. Explique-moi bien ce que tu veux.

Je n'étais plus assez jeune pour croire que c'était l'amour qu'ils voulaient, les uns et les autres, pour solde de tout compte. Ce qu'ils voulaient, tous, c'était le pouvoir et l'argent, et ces innombrables plaisirs que l'on s'offre quand on est riche et puissant. Il suffisait de les écouter parler, d'attendre qu'ils se déboutonnent et s'oublient, et ils apparaissaient pour ce qu'ils étaient, cyniques et rien de plus, ou peut-être si, cyniques et déplaisants.

Et pourtant, mystère de la psyché, avant que d'en jouir, ils voulaient de l'amour. De l'admiration, de la confiance, de l'enthousiasme, du civisme, de l'intelligence et des rêves que l'on partage. Mais tout cela, ils le voulaient en plus. Ils le voulaient gratuitement. C'est là que nous faisions affaire. Je simulais. J'avais du travail par-dessus la tête.

Au terme de cette matinée, j'étais satisfaite, lestée de la perspective d'empocher un bon paquet d'argent, une fois le travail terminé et l'ordre de payer envoyé à la comptabilité.

Jérôme avait une forme d'honnêteté archaïque : il payait le travail réalisé, il ne se lamentait pas sur le prix que nous avions fixé, il ne bricolait pas pour couper aux charges sociales. Il proposait des avances. C'était si rare que, quand je calculais la marge qu'il devait se faire sur mon dos, je n'avais pas de rancune excessive.

Le travail d'écriture, je le terminais le week-end ou la nuit.

Tu travailles encore ? demandait Olivia quand je sortais mes paperasses, après avoir couché les enfants et somnolé une petite heure, la bouche ouverte, sur le canapé.

Ben oui, la nuit on n'est pas dérangé.

Je mettais de la musique, j'allumais l'ordinateur. Olivia restait souvent, à traîner à côté de moi, m'interrompant sans cesse pour commenter les menus faits de la journée.

Je te fais un café ?

Je lui étais reconnaissante d'être là pour constater mes efforts. Grâce à elle, ce qui n'était qu'une forme d'escroquerie contemporaine prenait des allures d'épopée. Je n'étais plus une bonne femme divorcée, dépensière et désorganisée, mais le capitaine héroïque d'un navire dans la tempête.

Qu'est-ce que tu fais exactement ? demandaient les gens.

J'hésitais, je bredouillais.

Un tas de trucs.

91

J'énumérais en vrac, des articles, des enquêtes, des études, des dossiers, des brochures, des rapports, de l'enseignement, de la documentation. De la maquette. De l'édition. De la correction. Tout ce que j'ai appris à faire, je le fais. Ce que je n'ai pas appris, je peux l'apprendre. C'est une question de tarif. Du moment que je n'ai pas un patron pour fourrer son sale nez dans mon agenda et contrôler ce que je fais de mon temps.

Aussi longtemps que j'échappe au salariat, je ne suis pas mécontente. J'en ai tâté à mes débuts. Et ça me cuit toujours. Tant que j'en aurai la possibilité, je ne veux plus vendre ma vie. Ma vie est à moi. Je préfère vendre mon travail. Tant que j'en aurai la possibilité, bien entendu.

16

Allongée sur le sol, Olivia feuilletait le journal. Elle s'était arrêtée sur le supplément télé.

Hé, cria-t-elle en se redressant à demi et en se tournant vers moi. Hé, regarde, je la connais.

Je plissai les yeux. Je ne voyais rien, la photo était trop petite.

Qui ça ?

Tu ne reconnais pas ? Karen Cheryl !

La chanteuse ?

Elle s'était assise, la double page ouverte sur les genoux. Elle lisait l'article sous la photo.

Tu sais qu'elle est très gentille ?

Sa voix docte marquait une distance entre nous.

C'est quand je faisais l'assistante de l'attachée de presse, Dany, pour la maison de disques, mais si, je t'en ai déjà parlé... Elle m'emmenait aux interviews. On était allées chez Karen Cheryl, dans sa maison. Elle nous avait même offert un verre. Et figure-toi que ça ne change rien d'être Karen Cheryl. Elle est malheureuse comme tout. C'est dingue, non ?

Non, dis-je.

J'étais absorbée, je recopiais mon carnet d'adresses. Quoi ?

Oui, je voulais dire, oui c'est dingue.

Karen Cheryl, Karen Cheryl, répétait Olivia, la voix pleine d'admirations nostalgiques, pour Karen sans doute, pour elle-même plus sûrement, qui lui avait été présentée.

Moi, quand j'avais douze ans, un hiver, j'ai rêvé de rencontrer France Gall. J'avais écouté un disque d'elle chez une amie.

Mais je ne te parle pas de France Gall, corrigea Olivia d'un ton sec. Je te signalais juste que je connais Karen Cheryl.

Je levai mon crayon. J'attendis qu'elle m'en dise plus. Mais elle me lança un regard de commisération et s'en tint là.

J'avais rendez-vous à quinze heures. Je mis une demi-heure à trouver l'entrée de l'appartement, cachée au fond d'une cour pavée plantée d'arbres, nichée en haut d'un escalier en colimaçon, larguée au bout d'un couloir de bois peint.

Tu verras, il est adorable, m'avait dit Nathalie. Il cherche une documentaliste pour un projet télé. Je lui ai parlé de toi.

Adorable, il l'était, enfoncé à l'extrémité d'un immense canapé où j'en aurais rangé sans peine quinze comme lui.

En face, sur le dossier d'un autre immense canapé, un jeune homme brun était juché. Il manipulait des boules lisses et brillantes qu'il faisait rouler à toute vitesse entre ses doigts. Il signalait sans doute ainsi qu'il était prestidigitateur, ou qu'il arrêtait de fumer, ou les deux.

Nathalie m'a longuement parlé de vous, commença le petit homme.

Sa voix portait faiblement dans l'espace sombre et encombré. Elle paressait et se perdait dans les mezzanines.

Assise à l'autre bout du canapé, j'essayais de me défaire de mon blouson.

Je prépare un projet sur la crise. Une fiction.

Sur la galère, reprit le jeune homme en rattrapant une boule indocile. Je suis le scénariste.

Oui, donc nous prévoyons deux héros...

Ou trois.

Ou même cinq, enfin une bande de copains qui se retrouvent dans la merde. *La Belle Équipe*, quoi. Chômeurs en fin de droits, ou jamais eu de travail, pas d'argent, vous voyez le topo.

Je sortis mon carnet de notes et j'acquiesçai.

On envisage une série. Je veux scénariser toutes les astuces qu'ils inventent pour s'en sortir, ces gens-là. La débrouille, la démerde, vous voyez ce que je veux dire. L'idée, c'est de faire une série amusante sur fond de crise.

Je hochais la tête. Je ne savais trop quoi noter. Je dessinais des cercles en haut de la feuille.

Il nous faudrait une doc là-dessus.

Sur la galère ?

Oui, sur les petites arnaques. Les types doivent bien avoir des trucs... Ce sont ces trucs que je veux.

Je me grattai le front.

Le travail au noir ?

Non, pas le travail. Ils n'ont pas de travail.

L'ANPE ?

Non plus. Je ne fais pas un documentaire. Je fais une fiction télé.

Le type avait beau être adorable, je ne voyais pas où il espérait en venir.

Il y a bien les trafics, mais je ne vois pas comment faire drôle.

Je vous arrête tout de suite, interrompit le jeune homme. On travaille pour la télé. Il y a des choses qu'on ne peut pas montrer. Pas de drogue, par exemple. Interdit.

Pas de prostitution, non plus.

Pas de vols.

Et pas d'étrangers. Pas noirs en tout cas.

Rien de choquant. Rien d'amer.

Du léger, du marrant. Du contemporain. De l'espoir.

C'est ça, de l'espoir.

Dans la pièce flottait un doux parfum d'encens et de tabac hollandais. Je me dis que le jeune homme devait être le fils du type adorable. Je me dis que, de la doc, on en trouve toujours. Je me dis que la série ne se ferait jamais.

Ça ne va pas être facile, remarquai-je. Mais je vais faire de mon mieux.

L'heure tournait et je cherchais à récupérer les manches de mon blouson quand le type m'a arrêtée d'un geste du bras.

Pour le tarif...

J'allai protester. Remettre à plus tard les négociations.

Je vous propose vingt-cinq mille francs. La moitié tout de suite.

Vingt-cinq mille balles. J'ai eu très chaud. J'ai senti mes joues rougir brusquement.

Je ne sais pas si ça les vaut.

C'est ce que nous avions fixé. Le contrat est prêt. Vous signez en sortant.

Pas de dope ? a fait Olivia, intriguée. Alors quoi ? De la bière ?

Qu'est-ce qu'ils croient tes types ? a-t-elle demandé ensuite.

Note bien qu'on peut rigoler, a-t-elle remarqué un peu plus tard. Faut pas avoir le rire trop délicat.

J'avais croisé les bras sur la table et posé ma tête dessus.

Mais où veux-tu que je trouve un guide de la misère ? ai-je gémi. À la Mairie de Paris ?

Si ce n'est que ça, a dit Olivia, ne t'énerve pas, j'ai ce qu'il te faut.

Parmi ses affaires, Olivia conservait un dossier cartonné. Dans ce dossier, des feuilles quadrillées sur lesquelles, d'une écriture soigneuse, elle avait noté des adresses. Des dizaines d'adresses. Où trouver des vêtements, des chaussures, de la nourriture, un lit, une douche. Les bains publics, les hôpitaux, les services psychiatriques, les paroisses, les centres d'hébergement, les services sociaux des mairies de banlieue et d'arrondissement. L'Armée du Salut, Emmaüs, La Mie de pain, Marmottan, les foyers africains.

Avec les adresses, des prospectus. Sur la carte Paris Santé. Les prestations de dernier recours. Les services de la DDASS.

Je te le prête, me dit-elle. Tu me le rendras.

Je rassemblai les documents, je refermai le dossier avec piété.

Olivia, tu veux bien faire une réunion de travail, avec moi, demain soir après dîner ?

Quoi comme travail ?

Tu me racontes des choses qui te sont arrivées dans la rue et je les note.

D'accord. Si ça t'intéresse, j'irai voir les conseillers de l'ANPE et le service social de la mairie. Ça pourra te servir. Pour l'ambiance.

OK. Mais tu me laisses payer le stage de clown.

Non.

Très bien, je paierai le prochain.

Tu fais comme tu le sens.

Il y avait les vieilles dames qu'elle entraînait dans une ruelle et que les autres dépouillaient.

Il y avait les vols, à l'étalage, à l'arraché, à l'esbroufe.

Il y avait les squats.

Il y avait la drogue que l'on achète, que l'on vole, que l'on coupe, que l'on revend.

Il y avait les bagarres, les coups, les règlements de comptes.

Il y avait les hôpitaux psychiatriques.

Il y avait les empoisonnements volontaires pour roupiller tranquille aux urgences.

Il y avait ces filles qu'on ne voit pas dans la rue parce qu'elles se trouvent un type chaque soir, elles ne dorment jamais dehors.

Par bonheur, il y avait les vrais amis, ceux qu'on n'osait plus revoir et sur lesquels on tombait un jour par hasard. On cachait sa situation mitée. Ils ouvraient leur porte. On occupait le canapé. On se refaisait une santé.

Mais malheureusement, il y avait à nouveau le vice, la dope et les copains, et on finissait par se retrouver dehors, dans la rue, dans les embrouilles et jusqu'au cou.

Et rien, absolument rien de ce que racontait Olivia n'était utilisable.

Et ta sœur ?

Elle ne voulait pas me voir, tu penses. J'existais plus.

Et la DDASS ?

J'allais chez le juge des enfants, bien obligée, il m'engueulait, il avait raison. Mais qu'est-ce que tu veux qu'il fasse, le juge, contre un môme qui a décidé de taper le bordel ?

Combien de temps ça a duré, ce cirque ?

Un an, deux ans. C'était par périodes. Fallait que je me déglingue, c'était plus fort que moi. Je me suis calmée quand Momo m'a prise chez lui, au-dessus de son épicerie. Je l'aimais bien, Momo, je l'aimais bien.

Momo avait une bonne cinquantaine d'années. Elle en parlait gentiment, il semblait bon et patient, il était musulman.

Puis Momo était parti, il était retourné au Maroc. Elle s'était retrouvée dans un foyer, à Aubervilliers. Le problème du foyer, c'était la dope, et rebelote, les viols aussi.

Je ne notais plus depuis longtemps.

Quoi les viols ?

Ben les viols quoi.

Elle ne m'avait jamais rien dit, auparavant, des viols. Et ce n'était pas ce soir-là que nous devions en parler. J'avais ma dose.

Je me levai.

On arrête. Ça suffit pour ce soir.

J'allai à la cuisine, je sortis la vodka du congélo.

Tu n'oublies pas de me rendre mon dossier, hein ?

Je te promets. Une vodka et au lit ?

Pour le lit, je peux dormir ici ? Il est tard, j'ai la flemme de monter.

Pas de problème.

Je posai les deux verres sur la table. Je la contemplais avec effarement, j'avais si souvent failli la perdre avant de la connaître. Les viols. Bien sûr. Mais qu'est-ce que j'imaginais, imbécile que j'étais ?

17

La journée avait mal commencé. Sur la table de la cuisine, j'avais trouvé une feuille de cahier, quelques lignes décorées de fleurs et de cœurs, de la main de Suzanne, qui était, à l'époque, poète.

Je ne puis vous dire mon chagrin.

Mais vous me paraissez fort comme un caca.

Je l'avais ramassée, je l'avais emportée dans ma chambre et rangée, dans un tiroir du bureau, avec d'autres. Je relus la dernière :

Travaille bien, ma petite chipounette.

Puis je m'assis sur le lit. Le découragement me prit à bras-le-corps, serrant, serrant, à m'en faire éclater la cage thoracique. J'étais indigne. Je pensai à pleurer. Je pensai à dormir. Je pensai au trou que je pourrais creuser pour m'y mettre.

Je pensai aussi à boire de la vodka en gémissant mais ce n'était pas possible tout de suite. Tout à l'heure, en sortant du rendez-vous, je prendrai des cognacs dans un café. Je voulais m'effacer. Perdre ma trace. Mourir.

Je ne voulais pas mourir pour toujours. Je voulais mourir pour six mois, pour un an. Le temps de me refaire.

L'heure avançait, je m'étais relevée, j'avais pris mon sac et j'étais sortie de chez moi.

Devant l'immeuble, Mme Alvez balayait le trottoir. Au bruit de la porte, elle s'était interrompue, elle était venue vers moi, j'aimais beaucoup son tablier, rayé de bleu marine et de noir.

Savez-vous pour les huissiers ?

Elle m'avait emmenée dans sa loge et remis une liasse de lettres recommandées et d'avis de saisie. Dépêchés par un organisme de crédit, ils étaient tous destinés à Olivia.

Je l'avais fourrée dans mon sac, la remerciant sans fin, elle souriait. Elle avait une âme de complice. Si j'avais été membre d'un réseau de résistance, j'aurais travaillé avec Mme Alvez. Nous aurions caché des armes dans sa loge. Des tracts dans son tablier. Elle était pétrie d'héroïsme. C'était visible à l'œil nu. Sa beauté intraitable, peut-être. Son visage tragique. Sa jeunesse.

Je partis vers le métro, la liasse pesait dans mon sac. Je n'étais plus si triste, j'étais furieuse.

Une interview et deux cognacs plus tard, plutôt que de passer dans une agence ramasser un compagnon de déjeuner, un pigiste désœuvré avec qui nous aurions parlé boutique devant une omelette, je décidai de rentrer chez moi.

L'air était froid et sec, la lumière crue, l'appartement désert inondé de soleil. Je ne pris pas le temps d'ôter mon blouson, j'attrapai le téléphone, je m'assis par terre et je sortis les lettres de mon sac. Je n'eus aucun mal à tomber sur la personne que je cherchais.

Je me fous de savoir ce qu'elle a signé. Votre échéancier, vous pouvez vous le reprendre et vous pouvez vous le manger. Elle ne remboursera rien du tout. Et comme elle n'a rien, vous n'avez rien à saisir. Alors vous m'excuserez mais je ne suis débiteur de rien du tout. Je ne suis pas sa mère, je l'héberge. Gracieusement, oui. Et vous allez cesser de me menacer ou je vous envoie mon avocat et la défense des consommateurs. Ce qui n'est pas dans l'ordre, c'est de prêter de l'argent à des gamines, voilà ce qui n'est pas dans l'ordre, tant pis pour vous. Au revoir madame. Et vous de même.

Et shak, j'ai raccroché. Et cling cling, je me suis servi une vodka. Il fallait que quelqu'un la finisse, cette bouteille.

J'ai attendu qu'elle revienne. J'ai allumé l'ordinateur. J'ai somnolé devant l'écran. Je me félicitais de mon autorité.

Tiens, tu es déjà rentrée ?

Olivia pointait le nez par la porte.

Assieds-toi, j'ai deux mots à te dire. Est-ce que tu te souviens de tous les gens auxquels tu as emprunté de l'argent ?

Olivia m'a regardée, les yeux pleins d'une indignation vertueuse.

Je ne dois rien à personne. Tu sais comment je suis avec l'argent. Même cinquante francs, je les rends. C'est plutôt les gens qui oublient de me rembourser.

Parce que tu prêtes de l'argent, toi ?

Des fois, quand j'en ai.

À qui ?

À Jean-Michel par exemple. Le type avec le chapeau, celui que j'ai rencontré au stage. Je lui ai prêté huit cents francs pour son déménagement. Il n'a pas déménagé. Je crois qu'il les a fumés, mes huit cents balles.

Qu'est-ce que c'est que cette histoire ? Ce type t'a arnaquée de huit cents balles, et tu rigoles, espèce de pomme. Arrête de rigoler, au moins !

J'y peux rien si ça me fait rire...

Bon, alors tu ne dois pas d'argent ?

Ah attention ! Je ne dois pas d'argent à des *personnes*, j'en dois à des *trucs*. À Cetelem. Vingt mille francs. Mais c'était il y a longtemps. Et ce n'était même pas pour moi, c'était pour Momo, pour l'épicerie.

On s'en fout de savoir pour qui c'était. On continue. Cetelem et c'est tout ?

France Telecom.

Combien ?

Attends, je me rappelle... Treize mille, je crois.

Quoi ?

C'était quand j'habitais à Pigalle avec des Africains, la ligne était à mon nom. Je ne te dis pas comment j'étais à ce moment-là. Tout le monde en profitait. Les Africains ont téléphoné chez eux à s'en faire péter les oreilles. Heureusement, France Telecom a fini par couper.

Heureusement. Les Telecom et Cetelem, c'est tout ?

On ne compte pas les amendes dans le train et dans le métro ?

Non.

Alors c'est tout.

Bon, Cetelem, tant pis pour eux, ils n'avaient qu'à pas te prêter. Mais les Telecom, tu devrais aller les voir. Si tu pleurniches, ils vont trouver un arrangement.

Olivia a grimacé.

Ce n'est pas moi qui ai téléphoné pour tout cet argent... N'empêche.

Mais puisque maintenant ma ligne est à ton nom ?

Je ne te dis pas pour maintenant. Je te dis pour plus tard. Tu en auras besoin, du téléphone à ton nom, le jour où tu auras un appartement à ton nom, des affaires à ton nom, un chéquier à ton nom.

Olivia n'a pas répondu. Elle m'a regardée avec des yeux peinés. Elle a pensé que je voulais la renvoyer dehors.

Pas maintenant, ai-je dit pour nous rassurer. Un jour. Plus tard.

18

Quel âge tu as, exactement ?
Vingt-trois.
T'es quel signe ?
Balance.
Mais alors...
Oui, c'est dans une semaine.
Quel jour ?
Mardi.
Très bien. On va fêter ça. Qui tu veux inviter ?

Olivia a attrapé le journal et elle a déchiré le coin d'une feuille. Elle l'a roulé en cornet et elle a craché son chewing-gum. Elle était perplexe.

Tu n'auras rien à faire. Je m'occupe du dîner et, toi, tu cherches qui tu veux inviter. Je passerai les coups de téléphone.

Je dois te répondre tout de suite ?

Non, tu me diras demain. Mais pas plus tard. Les gens, il faut le temps de les appeler.

Toute la soirée, Olivia est restée songeuse.

Tu es sûre pour l'anniversaire ? a-t-elle insis... monter dans sa chambre.

Oui, ai-je dit.

J'aime les anniversaires. J'ai été habituée à les ... Quel que soit le désordre de la cuisine, j'y retrouve facilement le sachet dans lequel sont fourrées les bougies torsadées, bleues et roses, et à demi consumées, que je ressors tout au long de l'année. Ce n'est pas tant que j'aime acheter les cadeaux. Lancer les invitations me déplaît, téléphoner m'ennuie. Mais enfin, sans anniversaire, comment savoir que nous existons et que le temps nous est compté ?

Les enfants seront tellement contents, ai-je ajouté.

Il s'agissait là d'une félonie. Comme je le prévoyais, Olivia a rendu les armes.

Je me mettrai avec les enfants, a-t-elle obtempéré.

Le lendemain matin, bravant ses réticences, je demandai à Olivia, pour la seconde fois, les noms de ceux qu'elle souhaitait convier à ce dîner que j'entendais organiser en son honneur.

Ta sœur et ton beau-frère ?

Non, non... Attends voir.

Ma suggestion avait agi comme une menace. Comme pour parer à l'évocation d'Yvette, Olivia se mit à griffonner fébrilement sur un bout de papier.

J'allai me doucher. À mon retour, elle brandissait une liste d'une dizaine de noms. J'en connaissais la moitié. Ils appartenaient aux amis et aux connaissances qui m'avaient recommandé, quelques semaines plus tôt, de la rencontrer, elle, cette fille formidable qui s'occuperait de mes enfants.

L'autre moitié de la liste, si je ne la connaissais pas, n'offrait pas de surprise notable. Elle ressemblait à la première, à l'exception d'un jeune homme timide, qu'elle avait connu lors de son dernier travail, avant qu'elle ne se fasse virer, et qui l'avait défendue contre vents et marées, et contre l'évidence, un ami gracieux, triste et silencieux. Hormis ce jeune homme, qui étudiait la géographie, tous, ou presque, travaillaient comme journalistes. Tous, ou presque, étaient de quinze à vingt ans plus âgés qu'Olivia. Rassemblés par ses soins, ils semblaient une confrérie de marraines et de parrains. De marraines et de parrains présentables, cela va sans dire. Les autres, je le savais désormais, elle m'épargnerait l'ennui de les connaître.

À côté des noms, je notai les numéros de téléphone.

Tu les connais d'où, tous ces gens ? demandai-je au passage.

Olivia prit cet air effaré qui lui allait si bien.

Je ne t'ai pas raconté quand je suis arrivée à Paris ?...

Faut croire que non.

Eh bien, c'est quand je suis arrivée à Paris...

Je croyais que tu étais allée chez ta sœur.

La première fois, oui, quand j'avais treize ans. Après je suis retournée en Normandie. J'y suis restée encore un an avant de quitter définitivement. J'avais quatorze ans. Attends je te raconte...

C'est quand même rigolo, ai-je rapporté à mon frère le soir même au téléphone. Elle qui déteste tant l'école, c'est là qu'elle a rencontré ce type, ce chanteur, j'ai oublié son nom, ça n'a pas d'importance, qui intervenait dans les collèges pour monter un spectacle avec les mômes. Elle s'est embarquée là-dedans, et elle s'est trouvée si contente du résultat qu'elle a décidé d'en faire la promotion elle-même. Elle a cherché les adresses des journaux dans l'annuaire, pas n'importe quels journaux, *Le Parisien*, *Libération*, *Le Quotidien*, et elle a pris le train pour aller voir les journalistes des rubriques spectacle. Voilà, c'est comme ça qu'elle les a rencontrés, ces gens qui viennent manger mardi soir.

Le mardi, en début d'après-midi, j'ai fait les courses. J'ai rempli mon Caddie au Franprix, j'ai acheté un gâteau au chocolat à la boulangerie. Quand je suis revenue à l'appartement, Olivia n'y était pas. J'ai fait la cuisine, j'ai préparé la table, j'ai rangé la salle de séjour et préparé le bois dans la cheminée. Puis j'ai bu un thé en attendant que les enfants rentrent de l'école. Ils sont arrivés, les joues rougies par le froid (il n'y a que le froid pour leur donner des couleurs), une sucette dans la bouche, accompagnés d'Olivia.

Bon anniversaire, ai-je dit à Olivia.
Bonjour, a répondu Olivia.
Quoi ? Quoi ? C'est ton anniversaire ? ont protesté les enfants.
Tout le reste de l'après-midi, Olivia l'a passé avec eux. Elle ne m'a pas proposé de dresser le couvert. Ni d'aller acheter du pain.
Elle a fait comme si de rien n'était.
Je me suis dit qu'elle n'avait pas l'habitude des dîners,

107

ni des anniversaires, qu'elle ne m'avait rien demandé, que je lui avais juré que je m'occuperais de tout. Je me suis dit qu'elle ne m'aiderait sans doute pas non plus à faire la vaisselle, après. Si je voulais faire des anniversaires, je n'avais qu'à prendre mes responsabilités.

Je me souviens, a dit Étienne Varlat, en débouchant la première bouteille de champagne, je me souviens qu'il faisait déjà nuit quand je suis revenu de reportage et que la secrétaire m'a glissé dans l'oreille : Il y a une gamine qui t'attend dans ton bureau depuis des heures. Je lui ai dit de repasser demain mais elle m'a répondu que c'était très important et qu'elle avait tout son temps. Elle s'est installée et elle ne veut pas décoller. J'ai poussé la porte de mon bureau et j'ai vu Olivia, assise sur ma chaise, à ma table, qui feuilletait mes journaux. Bonjour, elle m'a dit, je vous attendais.

Olivia l'écoutait en riant, avec cet air confus qu'elle prenait lorsque l'on parlait d'elle.

Je te crois que j'avais tout mon temps, je n'avais nulle part où aller. J'aurais dormi dans la rue si tu n'étais pas revenu. Alors il arrive, je lui balance ma petite histoire. Puis il me demande où je vais dormir, je lui ai répondu que je ne sais pas encore, il était déjà neuf heures, t'aurais vu sa tête...

Imagine, je vois cette gamine débarquer de son trou, j'écoute gentiment son affaire de gosses défavorisés, et quand je lui propose de la raccompagner, elle me dit de ne pas s'inquiéter, qu'elle va se débrouiller toute seule, merci beaucoup monsieur, et pour l'article, c'est quand ?

Le bouchon est parti en douceur et Étienne a servi la première coupe.

Je l'ai ramenée à la maison. T'es restée longtemps, la première fois. Un mois ? Deux mois ?

Deux mois, a répondu Olivia.

Ah oui ! a fait Étienne, c'est la fois où tu as revendu mes disques. Des centaines de disques. Toute ma collection. Dix francs pièce. À Dieu sait qui. Mais qu'est-ce que t'en as fait de mes disques Olivia, je lui répétais. J'espérais qu'elle pourrait les récupérer. Mais visiblement elle ne comprenait pas pourquoi je me mettais dans un tel état : Je viens de te le dire, je les ai vendus.

Olivia a grimacé.

Je ne me rendais pas compte. Il en avait tellement, des disques. Je pensais qu'il serait content que je ramène un peu d'argent.

C'était un joyeux dîner. Les invités étaient arrivés à l'heure. Ils s'étaient habillés avec soin. Ceux qui avaient des enfants les avaient amenés. Agenouillés au bord de la table basse, ils vidaient en silence les coupelles d'amandes et de fruits secs.

Pour honorer la présence d'Olivia, leurs parents confrontaient des souvenirs vieux de presque dix ans et qui se faisaient écho. Olivia campant dans leurs bureaux, les articles qu'ils avaient écrits pour elle, et les moments qu'elle avait passés chez eux. Il était entendu qu'elle disparaissait soudainement, qu'on perdait sa trace. À tous, elle revenait un beau jour, en rires ou en pleurs, c'était selon, entraînant autour d'elle un sillage tumultueux.

J'avais bu pas mal de champagne, j'évitais les mélanges. J'étais dans cette manière aimable et décontractée que

109

donnent les vins légers. J'écoutais les convives avec sympathie. Attentive, mais de loin, je trafiquais ma balance mentale, j'équilibrais ses plateaux. Il importait assez peu pour finir que je sois aimante. Des gens pour l'aimer, Olivia en trouverait toujours. Elle ne serait jamais seule, c'était sa force. Quand la balance revint à son point d'équilibre, quand je sentis ses plateaux flotter librement, je fus déçue, et soulagée, de constater que je n'étais pas indispensable, ni même nécessaire. Je servais moins Olivia qu'elle ne se servait de moi. Le champagne acheva de dissoudre une certaine idée que je me faisais de la Providence.

Comme elle m'en avait menacée, Olivia disparut au fond de l'appartement, entraînant les enfants avec elle, elle était une sorte de joueur de flûte de Hamelin. Nous restâmes entre nous, consacrant le reste de la soirée à nous chercher des connaissances communes, nous travaillions dans des milieux où l'on brasse les rencontres, les activités qu'on y exerce consomment les visages et les noms.

Il fallut rappeler Olivia, et les enfants, pour apporter, toutes lumières éteintes, le gâteau planté de bougies. Nous étions convenus que Suzanne et Thomas le tiendraient ensemble, ce qui le mettait de guingois. La cire coulait par à-coups sur le glaçage de chocolat.

Olivia souffla les bougies en une fois, nous fûmes heureux de l'applaudir, de chanter, de lui offrir nos cadeaux. J'avais acheté un flacon de Chanel n° 5. J'ai toujours pensé qu'il s'agissait d'un parfum adéquat pour une jeune femme.

À une heure, les invités entreprirent de quitter les canapés et de rassembler leurs enfants. Ils étaient joyeux et un peu gris. Nous nous quittâmes en nous promettant de nous revoir.

Quand les derniers furent partis, Olivia prit son sac et son manteau.

Je sors, dit-elle, salut. Et merci pour le parfum.

Elle ferma doucement la porte derrière elle et je restai estomaquée sur le paillasson.

Et dans quel état tu vas être demain ? Hein ? Dans quel état ? demandai-je à la porte close.

Puis, comme prévu, je me tapai la vaisselle.

19

À partir du moment où j'avais embrassé Suzanne et Thomas et refermé la porte de leur chambre, je comptais un quart d'heure. Tandis que je remontais le couloir, j'attrapais des vêtements propres dans la penderie, je poussais du pied la porte de la salle de bains, j'ouvrais le robinet, la pomme de douche bondissait sur l'émail blanc. J'ôtais en une fois mes pulls et mes polos, je déboutonnais mon pantalon d'une main, délaçant mes chaussures de l'autre. Je me précipitais sous le jet brûlant, l'eau m'aveuglait encore que j'enjambais la baignoire. J'enfilais mes vêtements qui frottaient sur la peau humide. Je n'avais pas à choisir mes chaussures, je n'en avais qu'une paire.

J'attrapais mes clés et je saluais Olivia vautrée devant la télé. Je marchais d'un pas vif jusqu'au restaurant. Je me parfumais dans la rue.

À me croiser, qui descendais l'avenue, hâtive, personne n'aurait reconnu en moi la princesse, je pensais n'être qu'un brouillon de fille. Je n'étais pas si loin, pourtant, de cette Cendrillon solitaire qui file au palais dans une citrouille encarrossée.

J'entrais. Je m'asseyais, dans le fond de la salle. J'allumais une cigarette.

J'attendais Thierry.

Je le voyais pousser la porte du restaurant, j'avais le cœur en compote, la crainte et l'attente caramélisaient et me faisaient les yeux comme des fondants.

Assis face à face, nous ébauchions des conversations embarrassées dont nous perdions aussitôt le fil timide, pour moi qui ai la langue si bien pendue, c'était quand même un comble, cette timidité de donzelle. Ensuite, nous allions dormir, chez lui, chez moi ou à l'hôtel. Et voilà, j'adorais, j'adorais, j'adorais me coucher avec lui.

Je n'étais pas la seule, certes. Mais comment aurais-je pu me reprocher quoi que ce soit, toute l'énergie qu'il ne consacrait pas au travail, il la mettait à se faire aimer. Il était devenu très fort et les hommes qui le connaissaient l'enviaient à bon droit. Quant aux femmes, elles le dévisageaient, amusées et curieuses. Elles soupçonnaient en lui des océans de délices. À celles qui savaient nager, il proposait son pédalo.

Tant d'amours auraient pu rendre un homme heureux. Mais Thierry n'avait rien d'heureux. Il était triste, il était même souvent sinistre. Il pleurait dans son sommeil, le visage enfoui dans l'oreiller, j'essayais de le réveiller, mais en vain. Désespéré, il était irrésistible.

Pauvre Thierry, tant de séduction ruinait l'amour tout net. Il se trouvait mal aimé et il avait raison. Il croyait ne pas aimer et il avait tort. Il transformait le monde en asile de folles dont il était le dingue en chef. Il ne savait pas, sans doute, ce qu'il voulait, à la différence de toutes celles qui savaient très bien, elles, ce qu'elles voulaient : lui.

Il en concevait à la fin une colère furieuse qu'il tournait contre lui. Abîmé et déçu, il échouait au lit d'une femme nouvelle. Et tout recommençait.

J'étais entrée dans la danse avec enthousiasme. Je résume : je l'aimais, mais peut-être pas, il ne m'aimait pas, ou peut-être si, j'étais malheureuse, il n'était pas heureux, nous ne cessions de rompre, mais rompus pas rompus nous n'en étions pas moins au lit, et tout contents d'y être, côte à côte tous les deux, sombrant dans le sommeil avec un bon sourire. Mais les réveils souvent se révélaient difficiles.

Il était, dans ces conditions, quasiment ridicule de parler d'amour.

Je crois que c'est chimique, disais-je le visage contre son cou, je crois que c'est olfactif. Je te suis attachée par le nez.

Et je respirais d'un coup des parfums d'enfance qui me donnaient envie de fondre en larmes.

Laisse tomber, lâchait Cécile avec des mines dégoûtées.

J'étais piteuse et larmoyante. J'acquiesçais. Je n'arrivais pas à laisser tomber.

113

Il est drôlement joli, remarquait Olivia, qui le croisait parfois le matin, fuyant, le manteau ouvert, peu désireux de saluer mes enfants au réveil. Il a un beau sourire.

Mon frère, qui le connaissait bien, ne disait rien.

Nous rompîmes, une bonne fois de plus, au terme d'un week-end désastreux. Il faisait presque nuit et nous marchions dans la rue, l'heure approchait pour moi de regagner l'appartement, le dimanche soir Jean-Patrick ramenait les enfants à sept heures.

J'aimerais bien que tu me dises quelque chose, dis-je, saisie par une folie sentimentale, oublieuse de la nature chimique de l'univers.

J'attendis une réponse en vain. Il marchait à mon côté, le visage absorbé et mécontent.

Un petit quelque chose, insistai-je, m'embourbant désespérément dans une conception idéaliste des échanges entre les êtres.

Il s'arrêta et me regarda sans aménité.

Si tu veux savoir si je t'aime, dit-il en détachant les syllabes, tu le sais, c'est non, je ne t'aime pas.

Les mots agirent comme des pistons. Mes yeux se remplirent de larmes crépusculaires, lesquelles débordèrent et m'inondèrent le visage.

Oooh, fis-je.

Et non seulement ça, ajouta-t-il, soucieux d'épuiser la question, mais je ne veux pas vivre avec toi, jamais, non plus.

Oooh, répondis-je et mes larmes s'accompagnèrent de grands hoquets disgracieux.

Curieusement, il ne rebroussa pas chemin une fois sa

déclaration accomplie. Il resta à mon côté, marchant dans la nuit humide et froide. Pour ma part, je ne cherchai pas à fuir, ce qu'aurait fait à ma place n'importe quelle belette blessée, avertie par l'instinct qu'on ne se balade pas à côté du braconnier.

Nous avions fière allure, traversant Paris d'un pas martial, moi, reniflant et m'essuyant les yeux d'un revers de manche, lui, conservant sobrement les mains dans ses poches.

Pleurant toujours comme le Zambèze, le regard brouillé, j'avisai l'heure à une horloge publique.

Mince, dis-je, et je me tordis les mains, les petits vont revenir, je suis en retard. Il faut que tu m'attendes, et file-moi ta carte de téléphone.

Je m'engouffrai dans une cabine tandis qu'il battait la semelle devant la porte vitrée. Thomas décrocha.

Papa a dû partir, il avait rendez-vous chez lui avec des amis. Mais il a dit qu'il nous appellerait quand il serait arrivé. Pour savoir si tu étais rentrée...

J'arrive, murmurai-je, n'ouvrez la porte à personne en m'attendant.

Nous nous jetâmes dans la première bouche de métro. J'ignorai dans le wagon les regards compatissants des voyageurs.

Thierry me laissa au pied de l'immeuble.

Adieu, dit-il et il tourna les talons.

Arrivée devant la porte de l'appartement, je m'essuyai la figure, je soufflai un bon coup. Sous mon nez sentimental, j'accrochai un sourire factice. Puis je tournai la clé dans la serrure.

Salut les amis, criai-je en ôtant ma veste trempée. Pas trop faim là-dedans ?

J'entrai dans la cuisine et j'ouvris le frigo.

Eh maman, fit Suzanne dans mon dos, tu veux que je te lise ma poésie ?

Vas-y, dis-je en attrapant la plaquette de beurre et Suzanne se mit à déclamer :

> Mes mains sont noires
> et le paysage est gris,
> le vent souffle et
> je vois apparaître la lumière du ciel
> qui étincelle ma vie,
> celle qui dès mon premier a...

Dans la poêle, le beurre fit une flaque blanche et mousseuse et je cassai les œufs.

Un peu plus tard, les enfants couchés, je me jetai sur le téléphone et j'appelai Thierry.

Oui ? répondit la voix morne.

C'est moi, dis-je, mondaine. Je voulais te dire que j'étais bien rentrée et que j'allais mieux. Et toi, tu vas bien ?

Pas très bien, dit la voix. Je me suis drogué, je crois que je suis malade. Je vais raccrocher, excuse.

Va, dis-je. Je te rappelle dans un quart d'heure pour voir si tout est OK.

Au moment où je posai le combiné sur le socle, je me souvins d'une aventure plus ancienne, avec un homme qui se droguait parfois le soir, ce qui l'amenait à interrompre ses conversations téléphoniques. Il était indécis et marié à une fort jolie femme, nous avions tous beaucoup souffert, l'affaire s'était terminée lamentablement.

Le souvenir agit comme une paire de claques. Je ne peux pas croire que ce sont des baisers de princes charmants qui sortent les princesses de leurs siestes séculaires, non, les baisers endorment, ce sont les gifles qui réveillent. J'en eus plein le dos, soudain, des histoires tristes et des amours mal embouchées.

Quand je rappelai un quart d'heure plus tard, Thierry n'était plus malade. Juste défoncé. Je fus rassurée, on ne sait jamais.

Ça va, acquiesça-t-il d'une voix légèrement pâteuse.

Salut, dis-je donc, et bonne nuit.

Je me sentis alors tranquille, et libre de le laisser à lui, de revenir à moi. Assise à côté du téléphone, je rompis de fatigue. On ne peut pas compter sur les gens qui retombent tout le temps, on ne peut pas les aider, on ne peut pas les aimer. Ils découragent l'amour.

Avant de me coucher, j'enclenchai le répondeur. Le dernier message était quasiment inaudible. Je l'écoutai à deux reprises pour comprendre qu'il s'agissait du photographe avec lequel, le lendemain, je devais travailler. Il me demandait de le rappeler, ce que je ne fis pas.

Je m'endormis avec le sentiment heureux de baigner dans mon corps, un corps que je sentais à ma mesure, ni trop vaste ni trop étroit. J'étais libre, mais je n'étais pas si fière. Ce soir-là victorieuse, j'étais le général Custer, mes bonnes amours étaient des amours mortes.

Deuxième partie

1

Nous sommes au milieu du mois de décembre. Notre communauté familiale a acquis une forme de sérénité. Les soirs de semaine nous dînons vers huit heures. En général, nous nous levons à sept heures et demie.

Je viens de rompre avec Thierry et son carnaval de douleurs enchantées. Je l'ai interchangé, j'ai mis dans mon lit tout chaud le photographe du lendemain. Il s'appelle Denis.

Olivia ne se drogue pas, du moins pas à ma connaissance, ce qui vaut abstinence. Elle ne s'empiffre plus. L'alcool est notre sédatif et notre psychotrope. Il n'y a dans notre consommation courante rien de festif. Je ne vois pas beaucoup de différence entre une bouteille d'alcool et une boîte de Lysanxia.

Nous pouvons passer, l'une et l'autre, pour deux personnes à peu près normales.

Olivia traîne en pyjama en buvant son café. Elle m'a suivie dans ma chambre où je retape mon lit.

Il est gentil, Denis ? demande-t-elle l'œil dubitatif, à

moins que ce ne soit l'œil endormi, c'est difficile de juger, le matin.

Très gentil.

Je réponds en flattant mon matelas du plat de la main, gentil et pas chiant, et je le trouve beau, qu'est-ce que tu en penses ?

Elle pense comme moi, plutôt beau, oui, et à propos est-ce que j'ai des nouvelles de Thierry ?

Non, dis-je fièrement, c'est fini.

Hmmm, fait Olivia, dommage, j'aimais bien son sourire. Enfin, ce n'est pas grave, l'important c'est que tu sois contente. Tu es contente au moins ?

Très contente.

Et c'est vrai.

Quand j'y repense, je me dis les confessions émergent comme les icebergs. D'abord, on voit le sommet sortir de la flotte. On se fait la remarque : Tiens, un petit morceau de glace, je vais le contourner. On croit contourner, on voisine. Tandis qu'on tergiverse, l'iceberg poursuit son ascension. On n'avait rien vu venir, et soudain le voilà, il est là qui se balance, massif et montagneux, il donne le vertige, il ferme l'horizon. Je l'avais croisé à plusieurs reprises, je l'avais toujours vaillamment négligé, ce sommet gelé de l'iceberg. Je daterais du milieu du mois de décembre l'époque où, à force de me détourner, j'ai fini par me planter le nez dans la glace.

Olivia est assise à mon bureau, elle tient solidement l'anse de sa tasse, elle a posé sa tartine sur son genou. Dehors, la pluie gifle les carreaux de nos fenêtres.

Au début, lance-t-elle, quand tu étais avec un mec, je n'arrivais pas à m'endormir.

Je soulève la couette d'un ample mouvement des bras, elle plane au-dessus du lit, elle s'abat avec un bruit mou. Je tire les bords, j'empoigne un oreiller.

J'attendais le moment où tu me demanderais d'aller au lit avec vous.

Je suspends mon geste une fraction de seconde, l'oreiller balance au-dessus de ma tête. Elle ajoute :

Avant, ça se terminait toujours comme ça. Au lit.

Olivia adopte, avec le sexe, une tactique différente de celle qui lui a réussi avec la drogue. À la désintoxication héroïque et à la confession brutale, elle préfère des aveux progressifs, ce qui me convient. Si j'avais à choisir, compte tenu de ce que j'ai à entendre, je ferais comme elle. Je procéderais par étapes.

Ma rupture d'avec Thierry nous ouvre la voie. Elle sait combien j'ai pu me désoler. Plus d'un soir, assise en face d'elle, j'ai perdu les pédales, j'ai pleuré. Elle n'a jamais essayé de fuir, elle a dit : Allez va, c'est pas grave, moi aussi, c'est pareil. Tiens bois un verre, ça me rend malade toutes ces histoires.

Elle est restée à mon côté, je me suis apaisée. Elle ne me quittait que lorsqu'elle m'avait vue parler et sourire. Elle montait se coucher. Je me roulais en boule dans mon lit, sa chambre de bonne était juste au-dessus de ma chambre. Je fermais les yeux, j'écoutais son pas, j'escomptais que le matin, ils seraient là, elle, ses clopes et son café.

Et le matin, à mon émerveillement, elle était là. Tiens,

disait-elle en me collant entre les mains une tasse de café bouillant, ne te brûle pas, j'ai jamais vu quelqu'un travailler comme toi, je te trouve formidable, ne renverse pas ta tasse, on dirait que tu as vingt ans, assieds-toi tout doucement je te dis, tu vas finir par la renverser cette tasse.

Plus d'une fois, Olivia a écopé ma douleur, avec une tasse de café, penchée à mi-corps au-dessus de notre barque.

J'ouvrais les yeux, j'avais l'air d'avoir cent ans et la gueule de bois. Merci, je bredouillais.

Pas de quoi, disait Olivia d'une voix éclatante, c'est normal. Et elle soufflait par les narines un grand panache de fumée blanche.

Fini.

À sa demande, je répète à Olivia que c'est fini et elle a une moue admirative.

Quand même, on peut dire que tu l'aimais, commente-t-elle avec satisfaction.

Aimer ? Qu'est-ce que ça veut dire aimer quand on est malheureux comme la pierre ?

Je me hausse du col. J'étale ma sagesse de soixante-douze heures.

Quand même, c'est fort d'envoyer le type sur les roses, ça c'est fort.

Elle se frotte les mains. Je respire, l'air et le sang entrent dans mes poumons. Elle me trouve inébranlable. Comment, cette année-là, comment sans elle aurais-je survécu à mon désordre ?

Moi, dit-elle, je n'y arrive pas.

À quoi ?

À me séparer. Même un salaud, je ne peux pas le chasser, il faudra qu'il me vire le premier. Même un type qui m'a fait ce qu'on ne fait pas à un animal, même celui-là, je lui tape dans le dos. Je n'ai pas de colère.

Je secoue ma couette. Je repense à ce qu'elle vient de me dire. Je tape sur mon lit de toute ma force. Je suis dégoûtée à l'idée d'y inviter Olivia. Je l'aime beaucoup mais, justement, je préfère que chacune garde son corps pour soi. Plus tard dans la matinée, j'allume le Mac, je remarque, comme pour moi-même :

Les gens sont dingues.

Olivia vaque dans le coin. Elle répond avec politesse.

Tu l'as dit.

Le menu s'affiche à l'écran et je ne pense pas qu'ils soient dingues. Je pense que si nous étions des cannibales, ils l'auraient mangée. Ils ne l'aiment pas comme on aime une plante à qui l'on donne de l'eau et de la lumière, dont on admire les feuilles et la bonne volonté, dont on attend les fleurs et les fruits, non. Ils l'aiment comme on aime une viande morte qu'il faut manger bien vite avant qu'elle ne pourrisse. Ils la tuent, ils la mangent, son sang est encore chaud, il subsiste en elle une douceur pneumatique.

Je clique dans Bureau, j'ouvre Mix, j'appelle Rapport annuel, j'allume une cigarette.

Deux jours plus tard, dans le hall d'une agence, je tombe dans les bras d'Étienne Varlat. Je le connais à peine, mais je le croise depuis longtemps, il est grand,

125

maigre et chaleureux, je l'ai revu avec plaisir au dîner d'anniversaire d'Olivia.

Qu'est-ce que tu fais là ?

Comme toi, je pige.

Il s'éloigne, il me regarde de sa hauteur, il me répond avec réserve.

Pour moi, c'est exceptionnel, j'ai besoin d'argent. Je suis journaliste, je ne fais pas de propagande.

Je ne me formalise pas, parmi les pigistes je ne vois personne pour estimer l'activité qui le fait vivre, nous avons tous besoin d'argent, généralement c'est le cynisme qui nous tient debout. J'ai l'écoute ambulatoire, je le laisse s'expliquer tandis que nous nous dirigeons vers le café le plus proche.

Rapidement, devant nos bières, nous en venons à parler d'Olivia et de l'affection que nous avons pour elle.

Ce qui me scie, remarque Étienne, c'est cette capacité qu'elle a de rire de tout. Je me souviens d'un après-midi où elle a débarqué complètement hystérique dans mon bureau. Hé Étienne, elle avait le fou rire, elle en pleurait, Étienne devine ce qui vient de m'arriver ? Le rire était contagieux, je me suis mis à rire avec elle. Vas-y, comment tu veux que je devine... Eh bien, figure-toi que je viens encore de me faire violer. Là-dessus, elle a ri quelques secondes encore puis elle est tombée dans les pommes et je l'ai emmenée à l'hôpital. Je suis resté près de son lit, le temps que les médecins débarquent et l'examinent. Elle était dans un sale état, elle ne parlait pas, je lui tenais la main, elle souriait, quand elle me regardait, elle s'efforçait de rire encore un peu en secouant la tête.

2

Le soir, nous jouons au Monopoly. Suzanne triche sans malice. Thomas est exaspéré. Je m'ennuie, je lance les dés trop fort, ils roulent sur la table et tombent par terre. Il n'y a qu'Olivia pour s'intéresser au jeu. Elle tient la banque, elle engueule les enfants, elle ramasse les dés. Elle se demande si elle doit acheter la rue de la Paix. Elle fronce le nez. Je la regarde. Elle me fait rire.

Les enfants sont couchés, je lui rapporte ma conversation avec Étienne Varlat.

Ah ouais, dit-elle, ce pauvre Étienne, il n'en revenait pas, j'étais dans son bureau, je tremblais sur mes pieds, il faut dire que j'avais des brûlures sur tout le corps, en plus ils m'avaient brûlée, et tout ce que je savais faire, c'était me tordre de rire. Tu aurais vu sa tête à Étienne, même toi tu aurais rigolé. Enfin, le principal c'est qu'il m'a emmenée me faire soigner à l'hôpital, il a été gentil, je ne peux pas dire, j'ai toujours les traces des brûlures sur les seins.

Je refuse de penser que cette personne à qui je parle porte des cicatrices de brûlures sur les seins.

Tu as porté plainte ?

Elle me regarde, atterrée.

Pour un viol ?

Olivia, ma voix est très calme, je suis en train de mesurer combien notre pratique de l'organisation sociale est différente. Olivia, dis-je avec une manière de componction, la brûlure est un acte de barbarie, le viol est un crime.

Oui, acquiesce Olivia aimablement, et après ?

Après, les types passent aux assises, ils prennent quinze ou vingt ans de taule, c'est la loi.

Elle hausse les épaules.

Oh là là, qu'est-ce que tu veux que la personne qui s'est toujours fait violer aille tirer la sonnette chez les flics ? Pardon de vous déranger monsieur l'agent mais cette fois j'en ai marre... Sans compter les histoires de dope à la clé. Quand la personne est dans la merde, elle ne va pas faire la maligne au poste, elle ferme sa gueule.

Mais Olivia, dis-je faiblement, si la personne est mineure, la justice la protège.

Les gens comme toi, ils les protègent. Pas les autres, tu peux me croire. Ils m'auraient balancée au juge des enfants, le juge m'aurait fourrée dans un foyer ou même dans une prison, tu ne sais pas comment c'est de se retrouver là-bas.

Mais tu n'avais pas d'éducatrice, pas de DDASS, personne pour te défendre ?

Olivia pouffe.

Si, il y en avait une, la pauvre, elle a fini par me jeter, j'étais insupportable, elle m'a dit : Je me fous de ce qui peut t'arriver, puisque tu ne veux rien écouter, démerde-toi toute seule, et voilà, rayée des listes, j'étais peinarde.

Elle a un visage crâne, des regards de défi. Elle se croit quitte, quand on fait l'andouille, il faut s'attendre à mor-fler, qui casse paie, pas besoin d'avoir inventé la poudre pour comprendre ça.

Elle n'a aucune idée de la justice, qui écoute les gens, pèse leurs fautes, établit leurs peines. Elle croit dans l'ordre qui aime les forts et réduit les imbéciles en purée. Elle est d'une ignorance crasse, elle ne connaît que la loi des voyous.

J'ouvre mes oreilles de curé, je lui réponds à mots choisis. Je m'entête à la prendre pour une victime, ahurie que je suis. Je marche sur la tête, elle ne comprend pas un traître mot de ce que je raconte. Elle pense qu'elle est coupable. Elle pense que les vivants se partagent en deux castes : en haut les vainqueurs, en bas les coupables. Elle n'a que peu de chances de se hisser un jour parmi les vainqueurs. Si bien qu'elle peut toujours ruser, tricher, mentir, quand l'heure des comptes est arrivée, il faut bien qu'elle dérouille.

Je ne sais pas quoi inventer pour lui faire entrer dans le ciboulot qu'elle est une victime. Je laisse tomber le préjudice. J'en appelle à la loi. Je me drape dans la gloire de la République.

Bon, j'assène, n'empêche que la loi punit les crimes, elle est faite pour tout le monde, pour toi aussi.

Peine perdue. Je reste toute seule dans ma toge. Olivia se fout des drapés de la République.

Que tu dis, rétorque-t-elle avec insolence.

Justement, je te le dis ! Tu peux même porter plainte aujourd'hui. Je crois qu'on peut attaquer dix ans après les crimes.

Avec suffisance, elle me balaie d'un revers de la main.

S'il fallait que je porte plainte pour toutes les fois, ils ne feraient plus que ça les flics, écouter mes plaintes. Allez, c'est pas grave, c'est du passé, oublie.

Elle range le Monopoly. Elle empile soigneusement

les billets orange et violets, elle entasse les maisons et les hôtels, elle force sur le couvercle pour fermer la boîte.

La vanne est ouverte. Les allusions dont elle semait nos conversations quelques semaines plus tôt sont devenues une gadoue torrentielle. Elle a l'air de s'en porter mieux, elle maigrit à toute vitesse, elle est redevenue très jolie, elle chantonne, elle tombe malade de tout partout.

Avec sa carte Paris Santé, elle sillonne les cabinets médicaux. Elle crédite les médecins d'une confiance aveugle, qu'elle leur retire aussi vite au cours de brusques contre-attaques. Elle rapporte chez nous des diagnostics échevelés que nous soumettons longuement à des interprétations contradictoires.

Les abcès dentaires, dit-elle d'un ton définitif, c'est la cocaïne. Qu'est-ce qu'il croit ce con de dentiste ?

Elle se soigne à moitié, ses gencives enflent, nous appelons SOS Dentistes au milieu de la nuit.

Elle se bourre de Prozac.

Sans médocs, c'est le tunnel de l'enfer, remarque-t-elle en contemplant d'un œil morne le cachet oblong, autant que j'en prenne, de leurs trucs.

Et hop elle gobe le cachet.

Si j'arrête, je me paie la grosse descente. Je te le dis, tout me vient de ma mère. Elle était trop fragile, elle m'a filé ses gènes.

Elle a souvent mal au ventre, et des étourdissements.

Qu'est-ce que tu dirais d'un ulcère ?

Pas du tout, on voit bien que t'en as jamais eu. Moi je dirais que ça vient du vagin. Des fois je me demande si ce n'est pas à cause de quand j'étais gosse, ces petits bâtons

130

de bois qu'il m'enfonçait en dedans, ce vieux, là, je me suis peut-être infectée, je ne me suis pas soignée, et maintenant j'ai des pertes, c'est malin. Qu'est-ce que t'en penses ?

Je fais la moue, je réfléchis. Quand j'y pense, oui, des petits bouts de bois, ce n'est pas très propre le bois, si on ne désinfecte pas, on risque les pertes.

Et qu'est-ce qu'il dit le gynéco ?

Il dit des antibiotiques. Il veut que j'en prenne toute ma vie, des antibiotiques ou quoi, je vais jeter la boîte tiens, tu lui ferais confiance, toi, à un gynéco pareil ?

Elle jette la boîte.

Nous prenons l'ascenseur ensemble, je pars travailler, elle sort acheter du pain. Il règne dehors une claire lumière d'hiver, un merveilleux soleil liquide et bleu. Nous passons le coin de la rue, à propos, me dit Olivia et nous nous asseyons côte à côte sur un banc, face au flot erratique et matinal des voitures sur l'avenue. L'air vif lui donne des joues d'Api, il me rougit le nez.

À propos, demande Olivia, est-ce que tu vas bien ?

Elle s'accoude au dossier du banc, elle se tourne vers moi, elle me sourit, je ne connais qu'elle pour s'intéresser sincèrement à cette question, même moi j'ai laissé tomber.

Je serre les lèvres, c'est une grimace d'approbation, je hoche la tête, je dis :

Oui, oui, oui, ça va.

Les enfants aussi, ça va, qu'est-ce que tu en penses ?

Je pense pareil, ils ont l'air bien. C'est aussi grâce à toi si ça va, eux, moi, l'appartement quoi.

131

Si tu veux. Hmm, je suis contente que tu ailles mieux. Tu ne fais plus tellement de dépression, non ?

Non, plus tellement, je n'ai pas besoin. J'ai bien fait de me débarrasser de Thierry.

À son tour de hocher la tête pensivement. Je la regarde, elle a les yeux qui brillent, c'est peut-être le froid, peut-être aussi qu'elle pleure un peu, je ne sais pas.

Oh putain, dit-elle, elle se frotte la figure des deux mains ouvertes, putain, moi aussi j'aimerais aller bien, je suis trop faible. Des fois je crois que je vais mieux, mais j'arrive pas à durer, je retombe.

Elle s'essuie les yeux du dos de la main. Je regarde l'heure à la vitrine du bijoutier. Je me lève, je rajuste mon sac à dos.

Bon, excuse mais il faut que j'y aille, écoute-moi, je ne connais personne au monde de si fort et de si courageux que toi, il faut que je file, je vais être en retard.

Je ne fais pas gaffe, je passe sur ses cheveux une paume amicale, elle frémit, elle rentre brusquement la tête dans les épaules. Je dis encore :

Excuse, j'avais oublié.

Puis :

À tout à l'heure, princesse.

Je m'éloigne. Je cours vers le métro.

3

Olivia parle et je n'entends pas ce qu'elle dit. Il me semble que j'écoute mais je suis sourde, les mots ne parviennent pas à ma mémoire, ils glissent et s'évanouissent, c'est sans doute que je ne peux pas tout entendre.

Je me mets à douter, aussi, de leur réalité. Je ne jurerais pas qu'elle m'ait réellement dit que ce vieux, là, lui enfonçait de petits bouts de bois dans le vagin, je l'ai peut-être inventé. Je suis épuisée par ces lambeaux d'aveux qui s'incrustent sans cesse dans les conversations.

D'un revers de manche, je repousse les miettes sur la table.

Je ne comprends rien. Explique-moi clairement. Qu'est-ce que c'était que ce bordel chez les Lerouilly?

Olivia croise les bras d'un air appliqué.

C'est pas tellement les Lerouilly, corrige-t-elle. C'est les voisins. Ils viennent me chercher à la ferme, ils m'emmènent dans les bois. Quand c'est fini, la petite affaire, ils me donnent un paquet de bonbons et ils me ramènent, tu sais comment ils sont les enfants, ils trouvent ça chouette le paquet de bonbons, ça leur suffit.

Et la mère Lerouilly? Elle te laisse te balader dans les bois avec les vieux des environs? Elle te voit rentrer avec des bonbecs et elle ne te dit rien?

C'est la campagne, là-bas, les gens ont leur mentalité. Je ne sais pas ce qu'elle pense. Elle est déjà vieille, elle ne peut pas faire attention à tout. Elle en a trop chez elle, ses deux grands fils, sa fille, et les quatre autres de la DDASS.

133

Mais toi, tu ne lui racontes rien ?

Moi ? Qu'est-ce que j'irais lui raconter ? Je ne suis pas morte et j'ai pris les bonbons. Je me dis que j'ai fait des bêtises, j'ai pas trop envie que le père Lerouilly me mette la trempe.

Elle me raconte aussi qu'elle va au catéchisme, et à la messe le dimanche, elle fait sa première communion. Elle aime encore l'école, elle est bonne élève. Elle ne dirait pas qu'elle est malheureuse, non. Elle ne dirait pas non plus qu'elle aime Mme Lerouilly à la folie, elle sourit, mais réfléchis un peu, elle n'a pas connu sa mère, elle a eu Mme Lerouilly, elle ne peut pas lui en vouloir à cette femme, lui en vouloir de quoi d'ailleurs ?

Je lui demande ce que sont devenus les gosses placés chez les Lerouilly. Elle en a eu des nouvelles, de temps à autre, si. Les jumeaux sont en taule, c'était réglé comme du papier à musique. Quant à la fille, elle est morte probablement, la dernière fois elle était drôlement mal en point, l'héroïne, le sida. Les enfants Lerouilly suivent leur cours. Les fils sont agriculteurs, la fille est fonctionnaire. Oui, elle les a revus à l'occasion.

D'autres questions ?

Non, dis-je, c'est bien. J'aime bien savoir qui sont les gens dont tu parles.

Je vois mieux, et dans un sens ça me rassure : la ferme, l'église, l'école, le bois, les bonbecs. Sur les promenades, je ne demande pas de détails, je ne suis pas dingue. Avant de fermer le ban, je m'enquiers :

Et les Lerouilly, père et fils ?

Elle ne répond pas. Elle se lève, elle va mettre un disque. Elle n'en dira pas plus, je me contenterai des lambeaux. Elle racontera, plus tard, alors que nous parlons de tout autre chose, qu'elle entoure son lit de ficelles le soir, elle espère que ça les dissuadera de venir la tripoter pendant qu'elle dort.

Mais à ce moment-là je ne cherche plus à trop en connaître sur cette époque, je me fous de savoir qui la tripote, les jumeaux, les fils ou le père. Je me fais une idée suffisante de la dévastation, je n'ai pas l'usage des blessures supplémentaires.

Sans tarder, Olivia met cette nouvelle confession à profit.

Je pars en week-end, me lance-t-elle joyeusement.

Je suis en train de faire la vaisselle.

Super. Tu vas où ?

En Normandie.

J'arrête le robinet, je m'essuie les mains.

Qu'est-ce que tu vas foutre en Normandie ?

Elle me sourit largement.

Je vais voir Mme Lerouilly.

Hein ?

Elle m'a écrit une petite lettre pour mon anniversaire. Tiens, regarde.

Elle me tend une enveloppe jaunâtre. J'en sors une carte hideuse, je lis : Bon anniversaire, ma petite fille. Signé : Madame Lerouilly. Le Bic a bavé, l'écriture est débile.

Olivia devine que je suis émue, elle s'attendrit :

Je me suis toujours arrangée pour qu'elle ait une adresse. Du coup, elle m'envoie une carte à chaque anniversaire.

Elle me reprend l'enveloppe des mains, la plie soigneusement et la range dans la poche de son jean. J'ai envie de tout casser.

C'est pas très dur d'envoyer une carte. Je t'en envoie cent, demain si tu veux.

J'ai tapé juste. Olivia baisse la tête. Et merde, je me giflerais. D'ailleurs, je me gifle, du plat de mes mains semi-mousseuses. Attends un peu, je ne voulais pas dire ça, je trouve très gentil qu'elle t'écrive. Alors depuis toutes ces années, elle t'envoie une carte, allez dis-moi?

Voui, murmure Olivia.

Ça prouve qu'elle tient à toi. Il faut être sincèrement attaché pour écrire à chaque anniversaire. Et le père Lerouilly, il est mort?

Non, dit Olivia, mais je ne vais pas pour le voir, tu ne peux pas imaginer le tyran que c'est. Même le curé en a peur. Comme je t'ai dit, je vais juste voir Mme Lerouilly. J'arrive le matin, elle sort dans la cour, elle m'apporte un café, on bavarde en cachette du père, je me fais une petite balade et je rentre le soir.

C'est gentil, dis-je.

À mon déchirement, je sais que ce n'est pas gentil. Cette vieille pute lui sert de famille, sa ferme misérable de vert paradis, et pardon pour les amours enfantines. Et je n'ai rien à dire. Ce qu'elle va chercher dans ce trou cauchemardesque ne m'est pas étranger, c'est la trace colorée de l'enfance. Et d'enfance, avec toute la fureur du monde, je ne pourrais pas lui en donner d'autre. Alors je prends la mère Lerouilly avec l'eau du bain et je déclare d'un ton patelin :

136

Cette pauvre femme. Elle sera bien contente de te voir.

Olivia est consolée, elle tient absolument à me montrer ses billets de train. Je les regarde, je les retourne, je les admire. Des années Lerouilly, elle n'a aucune photo. Ce qu'ils ont acheté avec les pensions de la DDASS, ces gens, on se le demande, de la terre, du phosphate, des lombrics, ou plus sûrement ils les ont planquées dans une boîte à chicorée. Une chose est sûre, ils ont fait l'économie d'un Instamatic et je me retrouve à peloter des billets de train.

4

Je voyage beaucoup. Disons que je fais de minuscules et fréquents voyages. Depuis que je travaille, je suis passée dans la plupart des villes françaises, petites et grandes, et à plusieurs reprises. Je suis allée à Aubagne, à Grenoble et à Nancy, à Bourg-en-Bresse et au Puy, à Biarritz et à Saint-Quentin, à Reims, à Amiens, à Ajaccio et au Mans, à La Mure et à Brest, à Toulouse, à Colmar et à Chartres, à Lille, à Lorient, à Lyon. J'y ai rencontré des mineurs, des assureurs, des agriculteurs, des profs, des électriciens, des banquiers, des chercheurs, des informaticiens, des soudeurs, des facteurs, enfin toutes sortes de gens.

Ils me parlent de leur métier, je suis payée pour ça. Ils finissent tous par raconter au moins une chose intéressante, parfois une toute petite chose, je la range dans ma

137

tête, j'oublie où je l'ai rangée, je me souviens du ton d'une voix, d'une route dans la montagne, d'un visage, d'un ciel laiteux.

Je répare mes années de scolarité primaire. Si on me le demandait, et mon Dieu comme j'aimerais qu'on me le demande, je saurais maintenant dessiner la carte de France à main levée. Je connais les noms des fleuves et des massifs montagneux, ceux des régions et ceux des aéroports, je sais ce qu'y brocantent les gens, ce dont ils vivent et ce qui leur manque, je peux décrire leurs maisons et les clochers de leurs églises. Avec vingt-cinq ans de retard je suis devenue bonne en géographie. Si seulement je pouvais revenir en arrière et recommencer, je ne perdrais plus mes crayons de couleur, je saurais tellement mieux comment m'y prendre, pour la géo comme pour le reste. J'ai trop longtemps vécu trop jeune, je me trompais sans cesse, je me perdais dans les rues. Comme je regrette d'avoir été abandonnée toute seule à ma jeunesse, comme je regrette de n'être pas née plus vieille, j'aurais moins pleuré. Tout est tellement plus simple quand on connaît d'avance les règles des jeux. En dépit des apparences, je ne parle pas seulement de l'amour, je parle aussi vraiment de la géographie.

Je quitte l'appartement très tôt le matin pour prendre un train ou un avion. Je pars sans bruit, je ramène sans remords la porte derrière moi. Olivia orchestrera le lever. Je ne suis pas indispensable à leurs petits déjeuners. Je m'arrange, en revanche, pour être de retour à l'heure du dîner. Olivia m'a prévenue, dès notre première rencontre :

Je ne sais pas faire à manger.

Pas de problème, ai-je dit, moi je sais.

Du coup, je rentre.

L'après-midi s'achève et je gèle à Nevers. Il est clair cette fois que je ne serai pas revenue à temps. La glace a pesé si lourd sur les câbles, elle a si bien gainé les rails que les trains auront du retard, un retard difficilement prévisible, le haut-parleur grésille, il annonce une à deux heures. Je téléphone d'une cabine, je préviens Olivia, elle n'a qu'à fouiller dans le frigo, elle saura préparer quelque chose, ce n'est pas si difficile, ne m'attendez pas, j'arrive. Je traîne dans le hall de la gare, je m'achète une boîte de bière et un Toblerone, je m'assieds dans le train, je relève les jambes, je coince mes genoux sur le dossier d'en face. Je m'endors, je rêve que je couche avec un garçon dont le visage change sans cesse, ce qui ne me repose pas du tout.

À la gare, je prends un taxi. Le chauffeur est africain. Il me donne deux adresses de restaurant où l'on sert de l'éléphant, je remercie, je sors mon cahier de mon sac, je note, je sais bien pourtant que je n'irai pas. De l'éléphant, quelle idée, pourquoi pas du gorille ? Faut-il que nous soyons toujours contraints, d'une manière ou d'une autre, de fricasser nos semblables et nos proches ? Souvent je doute, je ne sais plus où poser la frontière entre la compassion et l'idiotie.

Je prends l'ascenseur, je suis contente de revenir ce soir, comme j'étais contente de partir ce matin, je sors la clé de ma poche, j'ouvre la porte, il fait un froid de canard là-dedans, et qu'est-ce que c'est que cette fumée poisseuse qui stagne dans le couloir, qui a décidé de faire brûler des pneus ?

Je me débarrasse de mon sac d'un mouvement de l'épaule, j'entre dans la cuisine, Olivia est devant la cuisinière, elle est rouge et décoiffée, elle tourne vers moi un visage douloureux.

Bonsoir, me dit-elle, je fais comme tu m'as dit.

Avec de petits mouvements spasmodiques, elle agite une poêle dans laquelle bouillonne une épaisse flaque d'huile.

Fais gaffe, tu vas te brûler...

Dans l'huile barbotent trois trucs d'un blanc crayeux que marquent par endroits des traces de suie. En dépit de la violence de la friture, les trucs restent entiers, ils tressautent bien un peu mais ils refusent de se déliter. Je me demande un instant à quoi attribuer leur rigueur. Puis je trouve. Ils sont gelés. Quatre blocs de matière gelée précipités dans l'huile bouillante, je vois là une brutalité intègre et toute médiévale. Les trucs ont gardé leur cœur d'albâtre, mais leur surface est carbonisée. La fumée qu'ils dégagent est épaisse, noire et collante.

Voilà sûrement la raison pour laquelle les fenêtres de la cuisine sont grandes ouvertes. L'appartement cote moins cinq degrés, à tout casser. Un courant d'air féroce traverse le froid sidéral, je parie que les fenêtres de la salle à manger sont ouvertes, elles aussi.

C'est quoi ?

Je désigne l'huile d'un discret mouvement du menton, je parle bas, je ne veux pas braquer Olivia, elle semble assez nerveuse.

Du poulet. Tu le vois pas que c'est du poulet ?

Il y avait du poulet?

Ben ouais, je l'ai pris dans le congélo, en haut du frigo.

Tu aurais pu faire les œufs, je les ai achetés hier...

J'ai demandé aux enfants : Des œufs ou du poulet? Ils ont dit du poulet, je prépare du poulet. Je ne sais pas le faire d'accord, mais tu étais au courant que je ne savais pas le faire, non?

Olivia quitte ses fourneaux, je ne prends pas le temps de lui répondre, ni d'ôter mon manteau, je vais vers la cuisinière, je prends le manche de la poêle, je bazarde l'huile et les pauvres bouts de poulet dans l'évier. Ils gémissent en chutant, l'huile se fige et dessine sur l'émail blanc des bas-reliefs en arabesques.

C'est compliqué, le surgelé, je marmonne, quand on en a jamais fait, on se trompe, c'est normal, moi aussi la première fois...

Je parle dans le vide, Olivia a quitté la cuisine.

Le mieux, c'est encore les pizzas, remarque-t-elle une minute plus tard, tandis que je déboule dans la salle à manger et que je me précipite pour fermer les fenêtres par lesquelles s'engouffre un grand vent tout plein de givre.

Enroulé dans sa couette, Thomas est assis devant la télé. Il fixe l'écran, le bout de son nez sort du drap. Sous le front neigeux, on dirait un rubis, ce nez garance et scintillant. J'éteins la télé.

Où est Suzanne?

Dans sa chambre, chuchote Thomas. Elle avait froid.

Qu'elle y reste, dans sa chambre, je monte le chauffage et je vais cuire des œufs.

Parce que les pizzas, on peut les faire livrer, poursuit Olivia, les bras ballants, le regard vindicatif. Ce n'est pas tellement plus cher, de faire livrer. Et c'est beaucoup plus simple.

Je devine le reproche, mais j'en ignore l'objet. Ma radinerie ? Mes sautes d'humeur ?

C'est bon, d'accord. Je vais mettre deux cents balles dans une enveloppe sur la bibliothèque. La prochaine fois, tu n'auras qu'à les commander, tes putains de pizzas.

Oh maman, fait Thomas, debout dans sa couette, pourquoi tu t'énerves ? Avant que tu sois là, tout allait bien et maintenant c'est la catastrophe. Si c'est pour tout gâcher, tu pouvais rentrer plus tard. On aurait bien réussi à manger sans toi.

Je reste muette, il n'a pas tort, j'aurais dû traîner un peu en ville avant de revenir me faire houspiller par moins dix degrés dans les émanations d'huile de poulet gelé. Mais c'est au tour d'Olivia de s'indigner. Scandalisée, elle lève les bras au ciel, elle renverse ses alliances.

Eh toi ! T'as vu comment tu parles à ta mère ? Elle est dehors toute la journée pour gagner notre argent et c'est tout ce que tu trouves à lui dire quand elle rentre ? Qu'elle devrait pas rentrer ? Tu crois que ça lui fait plaisir ?

Trahi, Thomas se terre dans sa couette. Il croyait défendre des intérêts communs, mais il avait oublié l'essentiel : avant tout, Olivia est légitimiste. Il file silencieusement demander à Suzanne l'asile diplomatique.

Dix minutes plus tard, nous sommes attablés devant des œufs et des pâtes. Je n'ai pas très faim, les enfants chipotent, ils sont fatigués, ils n'osent pas récriminer mais ils auraient préféré du poulet, je le sais. Ils se couchent sans dessert. Olivia sauce son assiette avec un morceau de pain, elle insiste plaintivement.

Mais tu t'en souvenais n'est-ce pas que je ne savais pas faire à manger ?

Je la déteste quand elle m'assomme sous les excuses minables, je la déteste quand elle fait l'imbécile, je déteste qu'elle me prenne pour une conne.

Arrête de geindre, tout le monde sait faire à manger, il suffit de s'y mettre, c'est enfantin, je t'apprendrai, c'est une question de bon sens, par exemple avec des pâtes et une boîte de thon...

Mais elle hoche la tête, elle a l'air triste, elle m'interrompt.

Tu ne comprends pas. Je me fous de savoir. Faire à manger, ça ne m'intéresse pas. Tu peux faire une croix dessus.

5

Olivia se lève tôt, le matin, il faut qu'elle aille chez le médecin, elle s'est trouvé un bon phlébologue.

Il faut faire gaffe. Tu sais qu'on peut en mourir, des jambes ?

Je ne savais pas. Je n'avais encore jamais soupçonné nommément les jambes, mais dans le fond je ne m'étonne pas. De quoi ne meurt-on pas ? Des orteils ?

Et un psychiatre, tu en vois un ?

Tu veux dire un psychothérapeute ?

Olivia sourit d'un air entendu. Justement, elle vient d'en trouver un. Je n'ai pas fini de m'émerveiller que cette fille qui ignore l'existence de Marx soit si avertie de celle de Freud.

Son intérêt date de son premier internement à Sainte-Anne, et de ses conversations avec le responsable du service, dont elle parle souvent et dont elle ne mentionne jamais le nom sans le faire précéder de son titre : « le docteur Cajoudiara ». Le docteur Cajoudiara l'a en général bien dit, d'ailleurs il lui a même écrit. À plusieurs reprises, il l'a invitée à revenir le voir, il l'a mise en garde contre le crack, c'était un type qui aimait rigoler, avec elle il était servi. Elle sait où il exerce maintenant, il est retourné chez lui en Guadeloupe, elle a reçu une enveloppe de là-bas.

J'aime entendre revenir son nom musical. Cajoudiara. Je l'imagine dans une blouse blanche, goguenard derrière son bureau, lestant une demi-dingue de quinze ans d'assez d'intelligence et d'amour pour la conduire jusqu'à son âge.

Les récits du docteur Cajoudiara annoncent toujours un bon moment, une trêve dans les mauvais souvenirs, un réveil de cauchemar. Olivia rapporte et nous décortiquons ses avis avec soin. Nous spéculons, nous édifions. Avec et par la médiation du docteur Cajoudiara, nous traçons des pistes que nous plantons d'arbres centenaires.

Il s'appelle comment le nouveau ?

Attends que je me rappelle, mince j'ai oublié son nom... C'est marrant que tu m'en parles aujourd'hui, j'ai eu mon premier rendez-vous hier.

Alors ?

Tu verrais ces yeux qu'il a...

Non, je veux dire : alors, qu'est-ce que tu lui as dit ?

Ben, rien.

À poser des questions indiscrètes, je vais me rendre compte qu'elle ne lui dit rien, à ce type. Elle n'ose pas. Et quand elle s'oblige à lui parler, elle lui ment. Elle omet, elle néglige, elle arrange. Pas un mot des ravissements de la dope, pas un mot des bourbiers de l'enfance.

Et à Cajoudiara, tu lui mentais aussi ?

Ah non, Cajoudiara ce n'était pas pareil. Il en avait vu d'autres. La rue, la dope, il connaissait. Les embrouilles, il les sentait. Celui-là, les beaux yeux, il a encore rien vu. Il est tout neuf et tout propre derrière son bureau, jamais j'oserai.

Et puis, parler de ça à un homme, ajoute-t-elle avec un rire léger, c'est au-dessus de mes forces.

Dans ce cas, à quoi bon ?

Elle reprend son sérieux.

Je ne sais pas, moi. J'attends voir. Est-ce que tu sais toujours à quoi ça sert tout ce que tu dis à tous les gens que tu croises ?

Comblée par son samedi normand, elle passe le week-end suivant chez sa sœur et son beau-frère. Elle parle souvent de son neveu et de sa nièce. Elle ne fait aucune confiance à sa sœur, elle a pour les enfants des soucis maternels, elle est inquiète. Il y a trop d'argent dans cette baraque. Elle craint la mauvaise scolarité, la délinquance, la boulimie. Elle prétend que les gosses lui ressemblent, à elle, Olivia. Elle invoque les gènes, je comprends qu'elle se fasse du mouron.

De retour, le dimanche soir, elle se plaint en désordre. Ils sont racistes. Le neveu fume du shit. Le beau-frère a fait quatre ans de prison. Ils élèvent mal leurs enfants. L'iceberg pointe dangereusement. Je contourne.

Je le trouve en revenant du travail. Denis est assis dans le hall, sur la première marche de l'escalier, il m'attend. Je lui prends la main et je le fais lever sans ménagement. Les beaux regards de Mme Alvez ne sont jamais très loin du carreau de la loge, je tiens à leur respect. Il apporte deux petits appareils photo qu'il compte offrir à Thomas et Suzanne.

Ça ne t'ennuie pas que je rencontre tes enfants ?

Je le rassure avec brutalité. Thomas et Suzanne ont l'habitude des visites. Nous recevons de nombreux amis, nous aimons les nouvelles têtes. Qu'il ne se surestime pas, il est simplement le bienvenu. Et qu'il dîne donc avec nous s'il le souhaite. Denis décline l'invitation, il est pris.

Les enfants se coupent en quatre pour le mettre à l'aise, Suzanne lui présente sa dernière chorégraphie. Thomas lui apprend un tour avec des allumettes. Tous deux ont beau ne jamais prendre de photos, ils admirent les petits appareils tout en mangeant des cacahuètes. Je les observe avec une fière tendresse, ils sont courtois, et très sensibles aux présents.

Je sers de la vodka dans des verres à moutarde. Olivia, à mon étonnement, parle peu. Elle sourit, la tête inclinée sur le côté, elle regarde Denis avec des yeux de lycéenne conquise. Je constate avec désarroi que je ne lui connaissais pas ce registre-là. Les coudes sur la table, elle minaude.

Bon Dieu, je n'aime pas ce visage déguisé, ce n'est pas le sien, elle est tellement plus jolie. Je me lève, je mets un disque. Séduite, Suzanne tournoie dans la pièce, elle se cogne au manteau de la cheminée, elle abandonne la danse, elle décide d'écrire plutôt une poésie. Thomas, qui estime sans doute avoir suffisamment donné à ce garçon dont rien ne garantit la durée, lit l'annuaire à plat ventre dans le canapé. Nous bavardons entre adultes, je froisse de la main le sachet vide des cacahuètes, Olivia mène autour de Denis un étonnant ballet oculaire, elle baisse les yeux, elle les relève, elle fuit son regard puis le fixe sans ciller. Elle rit sans raison, ou à contretemps, la main devant la bouche. J'ai le cœur serré. Je ne propose pas de vodka, je range la bouteille, je ne vais pas chercher de nouvelles cacahuètes, je jette le paquet.

Denis nous quitte, il me colle sur la joue un baiser anodin, il me promet à voix basse de revenir plus tard, dans la nuit.

Si tu veux.

Je lui réponds sèchement, je ne peux pas tout faire en même temps, il y a des heures pour tout. Celle des chuchotements vient avant, ou après, mais jamais entre six et neuf heures le soir en semaine. Il me semblait le lui avoir déjà dit, il pourrait faire un effort pour s'adapter.

Thomas referme la porte derrière lui.

Il ne serait pas un peu amoureux de toi, celui-là? demande-t-il en repoussant le paillasson.

J'esquive la réponse. Il retourne à son canapé.

Je cuisine en pensant à Denis. Je sifflote. On a tort de ne pas rompre plus souvent. Il faut croire que le ciel aime les ruptures, il ouvre des portes à ceux qui les ferment. Je lève le nez au plafond où veillent les anges. J'entonne une action de grâces.

Denis m'est tombé dessus le lendemain même de ma rupture d'avec Thierry. Au soir de notre journée de travail, alors que l'avion entamait sa descente sur Paris, nous avons partagé un baiser et un whisky. Quelques jours plus tard, nous avons poursuivi cet échange au lit. Et nous nous sommes revus. Les dix ans qui nous séparent sont notre bénédiction. Ils annulent entre nous les rancœurs et les concurrences. Nous n'avons l'un pour l'autre que de la curiosité et un souci d'entraide. Tout ça ne durera pas, c'est un enchantement.

Il passe me voir au milieu de la nuit, il travaille tard et il aime sortir. Il téléphone, il me réveille parfois, je fais un thé en l'attendant, il gratte à la porte, le voilà. Quel bon compagnon, joyeux, disert et attentif.

Il me laisse le temps de m'endormir, il ramasse ses habits en silence et il part avant le matin, il dort mieux dans son lit. Il espère que ça ne m'ennuie pas, mais non, pas du tout, je préfère, mes réveils sont à moi.

Et si on se donnait rendez-vous dans la journée ? demande-t-il. Ce serait amusant de se revoir dans la lumière du jour.

Je dis oui mais je ne suis pas pressée de compliquer nos relations. Dans la journée nous pouvons toujours nous téléphoner.

Il existe peu de textes sur la photo, alors je cherche des livres sur l'image que je lis en pensant à son travail.

Il m'appelle au milieu de l'après-midi, dans une agence, il est au bord des larmes, il ne veut pas faire n'importe quoi pour de l'argent. De l'argent, il peut encore faire sans, il est seul, ce qui coûte le plus c'est le papier pour les tirages, il ira manger chez sa mère, mais putain, je ne veux pas obéir à ce connard, j'en crèverai, est-ce que c'est normal d'avoir tellement envie de pleurer pour une histoire d'objectif, est-ce qu'il faut baisser la tête et dire oui quand on pense non, est-ce qu'il faut être raisonnable, tu connais le prix de la journée, tu dois bien le savoir, toi, depuis le temps que tu travailles, qu'est-ce que je fais, je claque la porte ou je m'écrase ?

Tu claques la porte, tiens donc.

Je parle vite, et à voix basse, le menton au ras du bureau.

Écoute-moi bien, il faut claquer la porte tant qu'on peut la claquer. Après c'est trop tard, et crois-moi, trop tard c'est très vite. Si tu obéis maintenant, tu obéiras toute ta vie.

J'aimerais que mes discours belliqueux échappent aux oreilles pédonculées d'Anne-Catherine. Le dos à la baie vitrée, elle tapote à contre-jour en face de moi, son front dépressif penché sur le clavier.

Il faut tenir maintenant, c'est juste une question de moment. Et si tu as vraiment besoin de thunes, je t'en file. Tu me les rendras plus tard.

Tout ce courage que j'aimerais donner, c'est celui que je n'ai pas. Personne ne m'a appris à dire non, et il y aura bientôt quinze ans que j'en paie le prix. Je suis comme une vache variolée. J'ai les cloques pleines de sérum. Il suffit de me le demander, je vaccine.

Je raccroche, je lève les yeux. Je croise le regard d'Anne-Catherine.

T'as raison, remarque-t-elle, légèrement phosphorescente face à l'écran. C'est trop con de se laisser baiser quand on peut y couper.

Elle retourne à son écran, elle secoue joliment son carré de cheveux paille, elle rédige une lettre d'information bancaire.

6

Dans l'appartement, les listes de Noël ont fait leur apparition. J'en ramasse des ébauches que les enfants abandonnent sur les tables et le bureau.

Dans le hall de l'immeuble, Mme Alvez déploie un petit sapin synthétique. Elle l'ouvre comme on ouvre un parapluie, le pose sur le carrelage et suspend des boules incassables au bout de ses branches de plastique. Au retour de l'école, Thomas la remercie pendant des heures, avec une délicatesse alambiquée. Elle l'écoute, droite, le visage impassible, son balai à la main. Suzanne ne dit rien, elle trouve le sapin minable.

Olivia est invitée à boire le café dans la loge, Mme Alvez a entrepris de l'adorer, c'était prévisible, elle lui raconte sa vie austère et endeuillée.

Mes parents, qui me téléphonent rarement, laissent de fréquents messages sur mon répondeur. Ils préparent Noël. Je ne rappelle pas.

Du bas de l'avenue, je remorque un grand sapin aux branches étales, aux aiguilles presque bleues. Je ressors du fond d'un placard le sac de décorations, j'achète deux anges en bois peint. J'attends avec impatience le retour de l'école. Nous décorons l'appartement tous ensemble. Manuel nous donne un coup de main, Olivia déplie l'escabeau pour suspendre des guirlandes au plafonnier.

J'ai acheté des mandarines pour leur odeur qui se marie si bien à celle du bois de sapin, et donne au bout de quelques jours le véritable parfum de Noël, exotique et sylvestre.

Dans la cuisine, je cherche sur les ondes de la radio. Je veux écouter les messes de l'Avent. Avec une joyeuse excitation, j'espère. Cette année sera l'année de la révélation. De la réconciliation. De l'intelligence du monde.

Je veux croire que j'avais mal compris, avant. Trop jeune, trop sotte. Mais cette fois, je vais les écouter, tous ces évêques du pape, je vais les entendre. J'en finirai avec le temps de l'ignorance, voici venir celui de l'alliance.

Je me mets à la vaisselle en m'enfilant les sermons. Les verres s'empilent sur les assiettes et je suis affreusement déçue. C'est idiot, tout ce qu'ils disent est idiot. Je suis au désespoir de constater que j'avais bien compris, les catholiques ont un usage incantatoire de la parole, ils ruinent tous nos espoirs. Je ne prends pas la peine de me sécher les mains, je cherche fébrilement une station musicale.

Une heure plus tard, assommée par les commentaires

qui lardent la musique, je me dis que les sermons avaient peut-être un sens, le sens a dû m'échapper. Je laisse revenir en moi la place de l'attente, et de la déception. Je tenterai le coup l'année prochaine.

Les angeus dan-ans nos campagneu
ont entonné l'hy-ymneu des cieux,
et l'écho de-eu nos montagneu
redit ce chant mé-élodi-eux
Gloooooo...

Arrête ! hurle Suzanne scandalisée, et elle me bourre la taille de coups de poing furieux.

Ça m'énerve trop quand tu chantes.

D'accord. Je vais danser.

S'il te plaît, gémit Suzanne en s'accrochant à moi dans l'espoir de m'immobiliser, s'il te plaît maman, je t'en prie, arrête.

Thomas s'interpose.

Qu'est-ce qu'elle a encore, celle-là ? T'as vu comme elle veut nous commander ? Elle ne supporte même pas que tu chantes. Pourquoi tu lui obéis ? Vas-y chante !

Pour lui, j'entonne :

Il est né le divi-nen-fant,
Jouez hautbois résonnez trompetteu...

Stoïque, il m'écoute quelques minutes avec consternation. Puis il part sur la pointe des pieds. Seule, je chante faux à pleins poumons.

152

J'achète à Thomas un magazine scientifique avec, en encart, un dossier sur le temps qu'il étudie pendant des heures.

Imagine, dit-il en se plantant en face de moi de manière à m'interdire toute tentative de fuite, imagine le temps comme un alignement de tuyaux d'orgue.

Non. Inutile. J'en suis incapable. Adresse-toi à des gens qui peuvent te comprendre. Explique à ton père, il était très fort en physique au lycée.

Thomas est tenace, il se fiche des rebuffades.

Ne te décourage pas, toi aussi tu peux y arriver. Alors, tu remplis les tuyaux d'eau...

Oh Thomas, ça ne sert à rien, je ne pourrai jamais voir le temps comme un alignement. Le temps pour moi est un cercle sur lequel nous passons et nous repassons. Tu vois Noël ? Eh bien Noël revient tous les ans, je ne peux pas imaginer le temps autrement. Comme le retour de Noël et de Pâques.

Il pince les lèvres, il garde les yeux au sol.

Excuse-moi, tu es encore très jeune, tu ne peux pas comprendre.

Si, je comprends.

J'en doute, j'ai tort.

Imagine, reprend-il, que le temps est un cercle. Maintenant imagine qu'à l'intérieur de ce cercle il y a une rangée de tuyaux d'orgue...

La fin des classes approche, Suzanne nous présente un bulletin trimestriel excellent. Thomas hésite quelques jours à montrer le sien, qui le crédite pourtant de belles possibilités, très largement sous-employées.

T'as vu ça ? dit Olivia en me brandissant le bulletin sous le nez.

Je fronce un sourcil.

Quoi ça ?

Il est surdoué. Même son prof est obligé de le reconnaître.

Derrière Olivia, Thomas me lance des sourires torves. Ils m'exaspèrent tous les deux.

Un génie qui ne fout rien, je souligne méchamment, quand il vieillit, c'est au mieux un bon à rien et au pire un ivrogne.

Le bras d'Olivia retombe d'un coup, et le bulletin aussi, fauchés en plein triomphe.

Tu dis ça pour moi ? remarque-t-elle sans colère.

Oh Olivia, est-ce que j'ai dit que tu ne foutais rien ?

À mon retour, en fin de journée, le répondeur clignote fébrilement. Les messages de travail sont nombreux et comminatoires. Il faut rendre, n'importe quoi mais rendre, les clients ont des âmes d'écoliers, laborieuses et bornées, ils veulent furieusement faire le point avant Noël, pour ranger leur bureau je présume.

Suivent les messages de ma mère qui aimerait en savoir plus sur mes projets pour les fêtes, elle a déjà appelé plusieurs fois, pourquoi je ne rappelle pas, il faut qu'elle s'organise.

Je relève également un message d'Yvette à l'attention d'Olivia.

Allô, bonjour madame, je suis Yvette, la demi-sœur d'Olivia et j'aimerais lui parler, si elle avait la politesse de nous rappeler, elle est invitée à passer Noël en famille à

154

Cergy. Olivia, réponds s'il te plaît, au revoir madame, au plaisir.

Olivia écoute le message, elle se gratte la tête, elle est très pâle.

Ah oui, bredouille-t-elle, je n'y pensais pas, Noël, évidemment, il y a mon neveu et ma nièce, je vais y aller...

Qu'est-ce qui se passe ? fait Thomas. Tu as du souci ?

Non, dit Olivia, t'inquiète pas, c'est juste à cause de Noël...

Je la regarde et je reconnais sans hésitation notre personne familière, celle qui dit oui parce qu'elle ne peut pas dire non. Cette fois, pas question de l'abandonner à son défaut. Je fais ce que je désire si souvent pour moi : je prends la décision et je lui force la main.

Mais enfin ! Je croyais que tu venais avec nous chez mes parents. J'ai besoin de toi pour le voyage. Ça ne m'arrange pas du tout que tu ailles chez ta sœur.

Ma demi-sœur...

Oui, celle-là. Je vais l'appeler, elle comprendra que j'ai besoin de toi.

Mais mon stage ?

Quoi ton stage ? Il commence le 26. Tu prends le train et tu rentres le 25 au soir, c'est bien suffisant.

Elle fait mine d'hésiter. Pas très longtemps.

Si ça te rend service, forcément, je dis oui. Oui.

Il est temps d'appeler ma mère. Je décroche le téléphone et je lui annonce notre arrivée.

7

Nous entamons la dernière semaine de l'Avent et Denis décide de partir en voyage. Il participe à une exposition dans une capitale lointaine, le ministère des Affaires étrangères paie le trajet, il logera chez un ami, il est heureux de quitter Paris. Il travaille beaucoup, il photographie des campagnes désertes, ses images sont intègres et résistent au regard, il les développe la nuit dans sa salle de bains. Il est minutieux, fauché et sûr de lui.

La veille de son départ, quand les enfants sont couchés, je confie l'appartement à Olivia et je me rends chez lui. Nous vérifions le contenu de sa valise, il me donne à choisir dans ses photos, je prends deux autoportraits, il pose avec une élégance affectée au milieu des champs.

J'ai un terrible besoin d'argent, la responsable de mon compte m'appelle, je viens de pulvériser mon record de découvert. Je répertorie, au dos d'un cahier de brouillon, les noms de ceux pour lesquels j'ai travaillé ces dernières semaines, j'additionne le montant des accords que nous avions passés. Le total est suffisant pour passer décembre. Je pose mon crayon avec soulagement et je décroche le téléphone. Si je n'insiste pas, la plupart d'entre eux ne me paieront jamais. Alors j'appelle, je réclame. Je fais la malheureuse.

Ces derniers jours, Olivia m'ignore. Elle campe fébrilement à côté du téléphone.

J'attends un appel, dit-elle.

Les appels arrivent, elle répond à voix basse et disparaît pour la nuit. Elle me laisse travailler seule. Je lui en veux de ne plus entretenir la conversation, comme un bon feu entre nous. Je m'enchaîne à mon bureau et je tape, vidant des canettes, maudissant l'écran de l'ordinateur à longueur de soirée.

Quand je la croise, elle ne me voit pas. Elle va et vient de sa chambre à l'appartement. Elle ouvre et referme le frigo. Elle met des disques qu'elle n'écoute pas. Elle range, et dérange, et range à nouveau. Quand elle a assez divagué, elle sort la table de repassage, elle entasse le linge, elle allume le fer et elle l'oublie. Il envoie de grands jets de vapeur à travers tout.

Elle ne s'assied plus à la table à tréteaux, le cendrier devant elle, en préambule à de petits bavardages. Elle ne me parle plus qu'en passant.

Le clown, dit-elle avec une grimace préoccupée, c'est le rire, et le rire, je ne suis bonne qu'à ça, demande à Étienne Varlat, tout ce qui m'arrive dans la vie, je le transforme en rire, c'est pour ça que les gens m'aiment bien, je suis tellement contente de le faire ce stage, j'ai tellement envie de le réussir...

Le son de sa voix me fait un effet de bruit de source. Il me réveille et m'enchante. J'interromps mon travail, je me lève de mon bureau, je la suis dans l'appartement, tout ce qu'elle dit m'intéresse. Dans toute la matière réelle de son corps, dans toute la matière évanescente de son âme, je ne trouve pas une seule parcelle d'ennui, et Dieu sait pourtant si les gens sont emmerdants en règle générale. Trottinant derrière elle, je l'encourage entre deux portes, ce stage c'est une manne, nous en sommes presque à faire des projets d'avenir, à très court terme soit, mais enfin, quand même, des projets d'avenir.

Après l'une de nos conversations itinérantes, je m'inscris à la bibliothèque municipale où elle emprunte à mon nom des livres sur le cirque qu'elle n'ouvre même pas.

Olivia, il y a un message d'un type qui s'appelle Benoît, pour toi, il veut que tu le rappelles.

Elle ne répond pas, elle traverse la pièce, le Monopoly dans les bras, les enfants sur ses talons.

Il y a aussi des gens qui raccrochent sans laisser de messages, ça sature le répondeur, tu sais qui ça peut être ?

Elle déplie le plateau de jeu, elle grommelle.

Le téléphone sonne, elle bondit sur sa chaise.

Olivia, c'est pour toi, c'est Xavier.

Elle s'empare du combiné, elle repousse la porte du salon derrière elle. Elle murmure, le visage vers le sol, les cheveux dans la figure.

Je retire le linge du séchoir. J'en sors une minuscule culotte de velours noir ajourée, un petit chiffon de rue Saint-Denis, ça ne se plie pas ces machins-là, je la range parmi ses grands T-shirts et ses socquettes usées.

Nous avons rendez-vous, le 24 au matin, gare du Nord, au départ du quai, devant le composteur. Laurent traîne avec lui un gros sac que Thomas et Suzanne couvent d'un œil retors. Le sac est mal fermé. On y voit scintiller les emballages irisés des cadeaux, et mousser le bolduc exubérant.

Tu as même des cadeaux pour nous?

Suzanne trempe sa voix dans le miel, elle qui possède une si grosse voix, si rauque et si profonde.

An, ah!... rugit Laurent.

Les enfants se donnent des coups de coude, ils rient silencieusement. Ils encadrent Laurent, ils l'adorent, ils ne le lâchent pas d'une semelle. Nous montons dans le train.

Olivia s'est finement maquillée. Elle ne dit pas un mot. Elle sourit, elle est timide. Assise, je recompte mes billets, je vérifie les compostages et les réservations. Je m'enfonce dans mon siège. Hmmm, Noël.

Mes parents sont bavards et hospitaliers, ils ont instauré, il y a une dizaine d'années de cela, une forme de Noël pléthorique. Ils invitent quarante personnes, ils cuisinent pour soixante, ils achètent à boire pour quatre-vingts. Au soir du 24, entre neuf heures et minuit, débarquent chez eux une cinquantaine de personnes de tous âges et de toutes natures, des familiers, des amis, des proches. Les agapes se déroulent principalement entre la cheminée du salon et le buffet de la salle à manger, les doubles portes intérieures sont ouvertes, la cuisine sert d'annexe. Les invités bavards dessinent une lente chorégraphie. Leurs groupes se forment et se déforment, comme les figures changeantes des kaléidoscopes. Autour d'eux cavalcadent les enfants échevelés. Aux alentours de minuit, une partie des invités nés dans les années soixante monte se droguer dans les chambres. Ils en redescendent le sourire en tranche de pastèque, la soirée continue. Les plus âgés n'y voient rien, ils ont tellement bu. À supposer qu'ils n'aient pas bu, ce qui reste une aimable théorie, je ne pense pas qu'ils remarqueraient quoi que ce soit. Ils sont aimables mais ils n'ont jamais été très attentifs.

On passe des agréments pour la musique. Aux Noëls anglais du début de soirée succèdent des disques américains des années cinquante et soixante. Quand arrive mon tour de choisir, je mets Stan Getz dans une indifférence satisfaite.

La fête dure, la maison ne désemplit pas tant que la cave n'est pas entièrement vidée. Le feu dans la cheminée dévore un stère de bois. Forcée, la cafetière électrique rend l'âme au matin, il faut emprunter celle du voisin.

On peut compter trois jours pour venir à bout de la fête. Finalement tout le monde a la migraine et la gueule de bois. Chacun rassemble ses cadeaux, les gens restent chez eux. Mes parents font un dernier lave-vaisselle, ils comptent le nombre de bouteilles vides dans la cave, et s'installent devant la télé pour piquer un petit somme. Noël est déclaré clos, jusqu'à l'année prochaine.

Olivia s'insère d'elle-même parmi les groupes chaleureux. Une coupe de champagne dans une main, une cigarette dans l'autre, elle se charge de ses présentations. Elle porte une chemise noire scintillante, ses boucles d'oreilles balancent dans son cou, elle est ravissante. Je lui donne une heure pour se faire connaître de tous, et se laisser aimer. Je l'abandonne donc à la bienveillance générale. Et je m'abandonne aux vertiges des brèves conversations, jetant régulièrement un œil à mes enfants de crainte qu'ils n'entament une conversation avec un adulte prosélyte, désireux de leur expliquer à quelle sorte de famille ils appartiennent.

J'oublie Olivia, j'ai tort. Elle s'est fait de nouveaux amis. À minuit elle a disparu, elle est montée dans les chambres.

Quand je la retrouve, il est deux heures, elle veut aller se coucher, il faut qu'elle soit en forme pour son stage. Elle espérait filer tranquille, je la chope au bas de l'escalier. Elle se tient, penaude, sur la deuxième marche. Je reste sur le paillasson, je lève vers elle un doigt vengeur, je tremble de colère.

Je te le jure, bredouille-t-elle d'une voix plaintive, je te le jure que je n'ai rien pris.

Tu te fous de moi ? Tous les autres se droguent et toi tu les regardes sans toucher à rien ?

Je te promets. De toute façon, ils fument et je n'aime pas ça.

Ils fument ? À Noël ? Tu me prends pour une bille ?

Bon d'accord, mais je n'aime pas les acides non plus.

Alors on peut savoir pourquoi t'es montée avec eux ?

Parce qu'ils sont sympas, et puis tu peux leur demander, ils te le diront, que je ne me suis pas droguée.

À moi ? Tu crois qu'ils vont me dire la vérité, à moi ?

Elle a ses cadeaux à la main, je lui ai offert un short en soie qui descend aux genoux et un caraco qui lui monte aux épaules, ma mère une bague d'argent en forme de marguerite. Elle reste immobile et contrite dans le vent de ma fureur, elle me regarde par en dessous. Je m'épuise en reproches, j'ai la voix qui se casse. Elle sourit misérablement. Ma parole, je jurerais qu'elle adore ça. Ma

161

colère s'écroule, j'ai envie de rire, de lui souhaiter une bonne nuit. Je n'en fais rien. Je hausse le ton :

Et je te préviens que si je te repique à comploter, c'est fini, tu entends, fini. Et maintenant file, va dormir. Ton stage, c'est après-demain.

Elle tourne le dos, elle grimpe les marches sur la pointe des pieds, rapide, légère comme un ballon de foire. Les mains sur les hanches, je contemple l'escalier vide avec sévérité.

La gare est déserte, un rai de jour nappe encore les friches qui environnent les rails. À quelques dizaines de mètres devant nous, des maisons murées ferment la perspective. Par endroits, les pans de brique rouge commencent à s'effondrer. Une odeur de pierre et de feu annonce le soir. L'air crisse un peu. Le gel étouffe les sons. Je saute d'un pied sur l'autre. Épaisses et lentes, des larmes nées du froid glissent le long de mes joues. Pour me réchauffer le bout des doigts, je secoue les clés de la voiture. Olivia serre son sac contre son ventre.

C'était bien, dit-elle, ils sont gentils ta famille.

Oui, oui.

Je suis radoucie, pas apaisée. Les excès d'alcool de la nuit m'ont altéré l'humeur.

Eh, ajoute Olivia, ce n'est pas ma faute. C'est ton cousin qui m'a branchée sur la dope. Il m'a posé plein de questions. Après il m'a même demandé mon téléphone.

Tu lui as donné ?

Non, j'ai donné le tien, il était déçu. Il a insisté, mais j'ai dit que je n'avais pas de ligne à moi. Il a répondu qu'il m'écrirait.

Elle me regarde fièrement. Elle balance comme le ferait une gamine de trois ans, pour gage de sa bonne foi, pour prix de notre alliance. Je prends une voix rugueuse :

Très bien, à partir de maintenant, j'ai une bonne raison d'être brouillée avec lui.

Elle s'affole, elle craint l'injustice :

Parce qu'il se drogue ?

Non, parce qu'il m'embrouille. Parce qu'il t'embrouille. Parce que je suis responsable de toi.

Nous reculons d'un pas, le train arrive, il émerge du virage, ses gros yeux pâles trouent les haies sauvages qui bordent la voie.

Tu as les clés ? Vérifie !

Je préviens l'atroce cri des freins. Je me bouche les oreilles. Olivia hurle :

Eh, je voulais te dire, tu me crois maintenant que je ne me suis pas droguée ?

Nous remontons les wagons à pas pressés.

Oui, je te crois. Tu ne sais même pas à quel point je te crois. Je te fais confiance à mort.

C'est sympa, souffle-t-elle.

Pas sympa du tout. Je n'ai pas le choix, banane.

Elle grimpe dans la voiture, elle gagne son siège. Par la vitre, elle m'adresse de grands signes de la main. Le train repart, je l'accompagne sur quelques dizaines de mètres. Je crie :

Et n'oublie pas de donner un tour de clé à la porte le matin quand tu sors !...

Puis je repars doucement vers la voiture, les mains

dans les poches. La nuit est tombée, l'heure du thé approche, j'ai les pieds gelés, j'ai envie d'embrasser mes enfants.

8

Longuement, je traverse les pièces désertes. Mon âme est en expansion, un gaz, une vapeur qui s'étire et s'étend et occupe tout l'espace contenu entre les murs. La moindre image y cogne et résonne. Il faut que je fasse très attention à ne pas me laisser assourdir par les échos.

J'ai le cœur qui se craquelle quand je croise un jouet déglingué abandonné au sol, des assiettes sales empilées dans l'évier, un pull jeté sur le dos du canapé. Des larmes délicieuses viennent mourir au bord de ma gorge.

J'arrive au bout du couloir, je jette un œil bouleversé dans la chambre des enfants. Je fais demi-tour, je traverse l'appartement en sens inverse. J'entre dans la salle de bains, j'ouvre le robinet de la baignoire, je ne sais trop que faire de mon corps. Je vais le tremper et le ramollir, je vais le savonner soigneusement et je le sécherai. Je penserai que ce corps est mon double et je tenterai de me loger dans sa peau amicale. Et d'y rester.

Nous avons pris le train ce matin, nous sommes revenus à Paris à l'heure du déjeuner. Au milieu de l'après-midi, Jean-Patrick est venu chercher les enfants. Les sacs à dos traînaient encore dans l'entrée. De nos nombreuses années de vie commune, il a gardé une manière très émouvante d'entrer chez moi. Il se comporte exactement comme s'il était chez lui. Il a une façon insolente d'installer son grand être dans mes lieux, de porter sur mon désordre un regard de propriétaire, que j'aime beaucoup. Moi qui ai tant de mal à faire coexister mon corps utile et mon âme gazeuse, j'apprécie tout ce qui me lie et m'unifie, et le regard de mon mari d'hier sur mes rideaux d'aujourd'hui.

Ils sont partis. J'ai adoré, comme chaque fois, le geste tranquille qui consiste à refermer la porte, à clore ma maison, à me clore. La serrure a fait un bruit clair et élastique que j'ai accompagné de la voix. Au revoir mes chéris, au revoir, schlik, je ne vois plus rien, j'ai le nez sur le panneau, j'appuie mon front sur le bois peint de blanc.

J'écoute le silence domestique. Il y a une jubilation de conjuré à confirmer ce que je sais : quand les enfants sont partis, je suis toute seule.

Mon lit m'appelle, il dit qu'il faut s'allonger quand on peut, et dormir, que le sommeil est la récompense des femmes qui divorcent. Je résiste mal aux invitations directes, je n'ai pas encore atteint ma chambre que mon corps est déjà assoupi, mes veines charrient des flots d'endorphines et j'ai l'esprit tout brumeux de rêves. Je ferme les yeux en m'allongeant, je cherche la chaleur, je me pelotonne sous la couette défaite, je dors, voilà, le jour tombe et je dors comme une bienheureuse.

Le réveil me trouve déboussolée, personne ne m'attend pour lui faire à manger, personne ne demande de sortir acheter du pain ou du lait, personne n'a besoin que je le mette au lit avant dix heures, les dents et l'imaginaire brossés de frais. Il fait presque nuit et personne n'a allumé aucune lampe chez moi. Je prends donc un bain. Je n'imaginais pas qu'Olivia me manquerait autant.

Elle n'était pas là, ce matin, quand j'ai ouvert la porte, elle avait donné deux tours de clé. Il ne faut pas que je l'attende, ses journées doivent se terminer tard, elle dînera sans doute avec ses nouveaux amis, c'est ce que je ferais à sa place. Je l'attends quand même. Je spécule : si je travaille suffisamment tard, elle finira bien par apparaître, elle passera sans doute par l'appartement avant de monter dans sa chambre, elle aura envie d'un café, de me voir, de me dire un petit mot, qui sait.

Je sors du bain, je m'habille machinalement, je cherche mes dossiers sur mon bureau, je mets de la musique, j'installe l'ordinateur sur la table à tréteaux, les heures défilent. Je ne vois pas revenir Olivia. Je bois un café toute seule et je me couche abandonnée. Je m'endors instantanément, je rêve que je découvre une porte dans mon appartement. Elle donne sur des couloirs insoupçonnés. J'avance, je longe des chambres tapissées de velours rouge et que ronge l'humidité. Je pousse une porte, j'entre dans une pièce lumineuse, des insectes géants se balancent lentement à hauteur de mon visage. Suspendus par d'épais fils blancs, ils sommeillent dans des cocons de soie grise.

Je devais attendre si fort, dans mon sommeil, que, plus sûrement qu'une batterie de réveils, le bruit léger des pas m'a tiré du lit. Il est à peine sept heures et je fonce à la cuisine, le cœur tendu, terriblement alerte. Elles sont deux, assises face à face à la table de plastique jaune. Habillées, coiffées et prêtes à partir, elles prennent leur petit déjeuner, c'est formidable.

Oh tiens, bonjour.

J'ai le bonjour anodin, presque indifférent, en dépit de l'irrésistible envie que j'ai d'entamer, sur l'instant et sur le carrelage froid, une petite danse des retrouvailles.

Prends une chaise, dit civilement Olivia, et assieds-toi, je te sers une tasse de café. Je te présente Amélie, elle suit le stage avec moi. Elle vient de Rennes et comme elle n'avait pas d'endroit où dormir, on se serre dans ma chambre. Elle fait le clown blanc. Moi je suis plutôt auguste, j'ai travaillé la question, tout dépend du tempérament.

Bonjour Amélie.

J'incline la tête avec courtoisie, je mesure combien je dois lui paraître particulière, les cheveux en épis agglomérés sur la tête, court-vêtue d'un sweat-shirt centenaire et d'une petite culotte à peine plus jeune. Je m'assieds, je croise les jambes sous la table.

Bonjour madame.

Amélie a le visage transparent des jeunes filles élevées au bon air. Elle a le regard droit et avenant, le sourire lisse, les cheveux pâles et bien tirés, le maintien calme et, mon Dieu, je ne jurerais pas qu'elle n'a pas l'air bête. Hmm, mais si, mes deux mains à couper que c'est une bécasse, même mal réveillée je sais repérer une bécasse à l'œil nu. À côté d'elle, comme mon Olivia est vivante, et belle, et comme elle se distingue aisément de la matière inerte, des tables, des murs et des bidons de lessive.

167

Je me demande, jacasse Olivia, ce que cherche Dominique. Au début, il n'arrêtait pas de me rembarrer, je pensais qu'il ne pouvait pas me blairer. Et puis là, hier, il a été tellement gentil avec moi. Il a passé deux heures à m'expliquer ces mouvements que je n'arrivais pas à faire, les mouvements très lents, là, tu vois ?

Amélie ne dit rien, elle opine du bonnet, elle casse sa biscotte en morceaux minuscules qu'elle enfourne prestement dans sa bouche. Cent fois, à une vitesse électrique, elle ouvre et referme ainsi la bouche, elle se donne la becquée. Quelle curieuse façon de manger, hypocrite et vorace, et d'une pudeur obscène. Je la regarde fascinée, Olivia continue à s'interroger à haute voix.

Au début, je croyais que je m'entendrais mieux avec Anne-Marie, mais pour finir c'est Dominique qui me paraît le plus sérieux, il a travaillé pour le cirque Grüss, qu'est-ce que tu en penses Amélie ?

Amélie n'en pense pas grand-chose, il est sept heures et demie, je secoue la cafetière au-dessus de ma tasse, il ne reste plus que quelques gouttes de café. Olivia se lève de table.

C'est l'heure, allez viens, on y va. À propos, on donne le spectacle de fin de stage vendredi soir, à neuf heures, je t'ai réservé une place, tu pourras venir ?

Bien sûr.

Je souris sans réserve. Je n'ai pas assez de présence d'esprit pour établir le rapprochement : ce vendredi soir de spectacle coïncide avec le vendredi soir de la Saint-Sylvestre.

Elles prennent leurs sacs et leurs manteaux, elles s'en

vont, elles sont studieuses et matinales, deux jeunes
étudiantes dans une ville universitaire qui compte des
centaines de milliers d'étudiants.

9

Il y a bientôt une demi-heure que nous attendons à
l'étage de direction, dans le petit salon d'attente au
milieu du couloir, en face du bureau de la communication.

Mylène est exaspérée et elle n'a pas pour habitude
de cacher ses émotions. Enfoncée dans un fauteuil trop
profond, elle serre et elle desserre furieusement les
jambes, le chaud manteau s'entrouvre, la jupe du tailleur
remonte sur ses cuisses, le Lycra siffle doucement sur ses
jambes.

Qu'est-ce que c'est que ces chaussures de luxe qu'elle
s'est encore payées. Des chaussures comme ça, on les
range dans une vitrine, personne ne marche dedans.

Debout en face d'elle, Patrick et moi l'écoutons en
silence. Je me tiens le buste en avant, j'espère que cette
attitude échassière fera oublier mes chaussures, le talon
est gravement usé, le cuir est irrémédiablement taché.
Ces pompes sont fichues depuis des mois, pourquoi, mais
pourquoi je ne me rappelle jamais qu'il faut acheter une
autre paire, je suis minable, et si seulement j'avais réussi
à fourrer dans la ganse de mon K-Way les trente centi-
mètres de cordon qui pendouillent à mon côté gauche.

Il est arrivé plus d'une fois que Mylène m'envoie chez moi me rhabiller. Elle comprend, dans le salaire qu'elle me verse, ma présence à un certain nombre de réunions avec ses clients, et elle entend que, pour l'occasion, ma vêture n'insulte pas à la majesté de ses chaussures, ni à celle de nos interlocuteurs. Le banquier, l'ingénieur, le publicitaire, l'attachée de presse sont d'une extrême sensibilité. Le défaut d'attention vestimentaire leur broie le cœur, et, partant, le porte-monnaie, qui bat modestement si près, si près du cœur.

Mylène me lance un regard pâle, elle tremble un peu.

Ce n'est pas possible, dit-elle en me détaillant de la tête aux pieds.

Je baisse les yeux sur ma personne. Je vois un pull et un pantalon, le pull est un peu délavé, je ne regarde pas mes chaussures, j'aimerais que mes pieds disparaissent.

Tu aurais pu faire un effort, merde.

Patrick lève les yeux au ciel. Il n'est pas beaucoup plus élégant que moi, et de plus il est insolent, mais c'est un homme, le veinard. À partir du moment où il est rasé, et à défaut de qualités réelles, un homme peut toujours passer pour intelligent. Par ailleurs, Mylène, qui raffole des brutalités envers les femmes, trouve moins de plaisir à rudoyer les hommes. Donc, Patrick se fout des humeurs de Mylène.

C'est quoi le problème, cette fois ?

Il lui parle d'un ton rogue. J'ai envie de me blottir contre son grand blouson de cuir noir.

Èvelyne Cartier. Je l'ai eue hier soir au téléphone, elle est furieuse. Elle ne comprend pas comment vous avez osé lui présenter un texte aussi mal écrit. Le président le lui a retourné entièrement raturé. Il paraît que vous avez même laissé des phrases sans verbes. Il faudra vraisemblablement tout refaire.

Quoi tout refaire? grogne Patrick. Il n'a qu'à rajouter ses verbes lui-même ce vieux con.

Tu baisses d'un ton, merci, le vieux con préside une banque. Et dans cette histoire, c'est moi qui suis dans la merde. Je dirige cette boîte, je suis responsable de la marge, et ce bouquin, c'est une masse de fric.

Si elle n'y avait pas mis tant de rouge, elle se mordrait les lèvres. Elle est furieuse.

Je devrais relire tout ce qui sort de cette agence, si je ne fais pas tout refaire en permanence...

Combien, le fric? coupe Patrick.

Ne sois pas mesquin, ça ne te concerne pas. J'ai des actionnaires, je ne peux pas me permettre de perdre un client, c'est tout.

En tout cas, remarque Patrick, je ne réécris pas cette merde à l'œil, il faut que ce soit bien clair.

J'ai l'impression excitante que Mylène va sauter de son fauteuil et lui envoyer une claque au milieu de la figure mais la porte du bureau s'ouvre d'un coup.

Èvelyne Cartier en sort. Mince, à voir ses pompes, elle a le même chausseur que Mylène, je suis grillée.

Bonjour Èvelyne!

Mylène grimpe sur ses talons. Vivement, elle rabaisse sa jupe sur ses petits genoux ronds. Elle regarde Èvelyne droit dans le cortex, elle a un sourire anthropophage.

Mais aussi vite ses yeux la démentent, ses yeux trompeurs, pleins d'exquises promesses de reddition. Elle nous précède la tête haute.

Nous la suivons, Patrick, moi, mes pompes et mon K-Way. À pas minuscules (j'essaie de faire oublier mes chaussures), j'entre dans le bureau. Je m'installe à une table pour géants, je pose mes fesses sur une chaise de géant. Par la baie vitrée, le regard porte loin sur l'avenue des Champs-Élysées.

Assise au bout de la table, dans la lumière poudrée de l'hiver, Èvelyne Cartier nous contemple un moment sans mot dire, son adorable menton posé dans ses mains fines. À ses côtés, deux grands sbires en cravate observent son silence avec mélancolie, ils ont le regard vague, ils partagent sa réprobation.

Alors, demande-t-elle, sa voix est glacée, qu'est-ce qui s'est passé ?

Mylène penche vers elle son buste de mohair.

C'est un problème de briefing, Èvelyne. On s'est mal compris. Mais je te garantis la plume de mes rédacteurs, ils vont tout reprendre. Tu n'as qu'à les corriger. Ils sont là pour ça.

Peu importe, d'ordinaire, l'argument des textes que nous écrivons, ils ne sont pas faits pour être lus. C'est ma chance, et c'est ma défense. Je m'en servirai, à l'heure du Jugement dernier, quand j'aurai à rendre compte de mes actes.

Tout le monde mentait, dirai-je au procureur emplumé, il faut s'en souvenir. Mais nos mensonges à nous, monsieur le procureur, n'ont jamais fait de dupes. Personne, je vous le promets, n'a jamais lu une ligne de ce que j'ai écrit. Peut-on raisonnablement, et dans ces conditions, me reprocher d'avoir dégradé mon prochain ?

Je vois bien ce que l'argumentation a de misérable. Le procureur aura beau jeu de fustiger la banalisation de l'injustice, le fonctionnariat du mensonge. Je chercherai en vain dans mon dossier une tentative de résistance au triomphe annoncé du libéralisme. Non, décidément, je n'aurai rien fait d'autre de mon temps que d'astiquer les trompettes de la collaboration.

Mais pas d'affolement. Comme je le vois parti, il en fera trop. J'en profiterai. Je verserai une larme, je dirai que l'époque était triste, et confuse, je dénoncerai les grands commanditaires et les premiers profiteurs, j'avancerai que j'étais dépressive et sans défense. J'appellerai ma banquière à la barre. Elle jurera que j'étais toujours à découvert et que je n'ai jamais reçu de pension alimentaire. Elle invalidera les accusations d'enrichissement personnel. Elle attirera sur moi le mépris pour me dégager de la faute.

Je passerai un sale moment mais je ne désespère pas de sauver ma peau. Sincèrement, je crois que je prendrai le minimum. Pour faux témoignage. Pour complicité d'escroquerie. Pour grivèlerie, peut-être, aussi.

Le texte auquel Patrick et moi travaillons est prévu pour honorer le centenaire de la banque. Nous nous sommes partagé les chapitres. Jusqu'à 1942, c'est lui. Après 1942, c'est moi. Mylène et Èvelyne se partagent la férule. Nous passons d'interminables minutes à condamner les phrases sans verbes, nous chuchotons de longues apologies, mille fois nous promettons de respecter, à l'avenir, les verbes, tous les beaux verbes conjugués sans lesquels la langue n'est qu'un affreux galimatias. Avant de communiquer dans une banque, Èvelyne Cartier travaillait dans l'édition, elle nous le rappelle souvent, dans l'édition parfaitement, elle sait ce qu'il convient d'appeler la syntaxe.

Nous biffons les chapitres qui vont de 1936 à 1939, puis de 1939 à 1945, puis de 1954 à 1962, puis 1968, puis toutes les années quatre-vingt. Qu'en dire, mon Dieu, qu'en dire, qui ne soit ni injuste ni blessant ? Les historiens, même les plus grands, ne parviennent pas à se mettre d'accord et coupez-moi ce couplet insupportable, la guerre, c'est bien dommage mais c'est la guerre.

Je meurs d'envie d'une bière, je note fébrilement les moindres expressions d'Èvelyne Cartier. Je compte les lui resservir sans vergogne, les gens n'aiment rien tant que de retrouver leurs propres âneries, recuites.

On est cons, remarque Patrick, nous traversons le hall immense, on pouvait prévoir. Personne ne paie pour se salir.

Mylène boude, elle nous trouve snobs et prétentieux, elle nous déteste ce matin. Son taxi l'attend au pied de l'immeuble, elle relève sa jupe pour y monter. Crissss, font ses collants. Elle ne nous dit pas au revoir.

Elle est fâchée, dis-je.

Ça lui passera, répond Patrick. Avec la première traite.

J'invite Patrick à boire une bière. Il bosse beaucoup en ce moment, rien de bien excitant, il aimerait écrire pour lui, mais il prépare un voyage au Mali avec son fils aîné, et il a déménagé. Il pense que la réécriture sera vite faite.

C'est simple, avec le crayon rouge, on enlève la moitié du texte. Avec le crayon noir, on balance des verbes tout partout. Je ne vois qu'une question : comment extorquer une rallonge à Mylène ?

Sur le chemin du métro, il me conseille la lecture de *1793*. Il vient de se séparer de son amie, une fille belle, attachante et très brune avec laquelle nous travaillons depuis des années. Il prend leur rupture avec philosophie. Pas moi. Je regrette le couple qu'ils formaient tous les deux. C'est bizarre comme je m'attache à certaines associations.

10

Ah mince, je n'arrive pas à m'habituer à l'appartement vide. La tasse de café n'a pas bougé depuis ce matin. Une auréole noire s'est figée dans le fond de la soucoupe. Les heures ont passé sans que personne n'ait eu la grâce angélique de déplacer, de repousser ou même de casser cette tasse. Elle est indifférente et immobile, fossilisée. Suzanne. Thomas. Olivia. Leur clair désordre me fait défaut.

Sur le répondeur, je trouve un message de Thierry. Allons bon, Thierry. Je cherche en vain dans ma mémoire. J'ai oublié son numéro de téléphone. Cette constatation me remplit d'aise. Je cherche dans l'annuaire et, sans souci de vengeances inutiles, j'accède à ce qu'il demande d'une voix éteinte. Je l'appelle sans tarder. Est-ce que je peux le voir, là, maintenant, chez moi, oui, il arrive. À tout de suite.

Je l'attends, j'avise la tasse, je la prends par la soucoupe, je vais vers la cuisine, la tasse glisse sur la soucoupe, elle s'écrase au sol dans une petite mare de café huileux. Ce café n'était pas aussi pétrifié que je le croyais, ce matin n'est pas si loin de ce soir, le temps est plus petit qu'il n'en a l'air.

Je suis à genoux devant les éclats, je donne de brefs coups de balayette. Je pensais qu'il nous séparerait, mais entre nous non plus le temps n'a rien figé, Thierry avait sans doute à faire ce matin, et le voilà qui revient, ce soir.

Je balance les éclats dans la poubelle, je range la balayette sous l'évier. Imagine que le temps est un cercle et maintenant imagine dans ce cercle des tuyaux d'orgue remplis d'eau...

Noël, dit Thierry, c'est un peu le problème.

Il n'a pas quitté son blouson de toile bleue, ni son foulard imprimé, il a posé les fesses au bord du canapé, il parle, les mains jointes coincées entre les genoux.

Peut-être n'aurait-il pas dû aller chez ses parents, il ne voulait pas abandonner sa mère, il devrait se méfier, s'attendrir sur ses parents coûte cher, il n'y a aucun plaisir à en attendre, juste l'addition. Il s'en veut d'oublier toujours combien les coups étaient douloureux avant qu'il soit assez grand pour les interdire à son père, qui frappait comme un sourd, qui appelait sa mère une putain et ses enfants des porcs. Son souvenir est un maquis, il y perd sa route, à peine est-il passé que les buissons ont repoussé derrière lui, quand il se retourne, il ne reconnaît plus rien, il doute. Mon père est un salaud, affirme-t-il souvent, mais peut-être est-ce lui le salaud, comment décider.

Il croit qu'il peut revenir impunément chez ses parents, il pense qu'il est chez lui, c'est une erreur immense mais il ne le comprend que lorsqu'il passe le seuil de la porte.

Ils sont déjà tous assis à table, son père et sa mère, et sa sœur, et sa tante et les deux cousins avec des femmes et des enfants. Personne n'offre de cadeaux, les cadeaux sont pour les enfants et les enfants les ouvriront demain, Noël, c'est le 25 jusqu'à nouvel ordre, crie son père.

Nouvel ordre, répète Thierry, il rigole, il a déjà bu avant de venir et maintenant il continue à boire.

Ils parlent, le père parle, les cousins parlent, Thierry ne dit rien. Après les coquilles de poisson, ils parlent de religion, ils sont catholiques. Les Sémites, dit le père, les cousins rigolent en fronçant le cou dans leurs épaules, ils raffolent des blagues. Les Sémites sont nombreux, les Arabes et les Juifs, il y a beaucoup à en dire, et quand on a fini de dire, on peut toujours le répéter. La haine est un ciment entre les hommes, elle fonde les amitiés, elle autorise les reconnaissances, la haine est un peu facile mais bonne fille.

Quel bon dîner.

L'islam, cette merde, dit le cousin.

Auschwitz faut voir, dit l'autre cousin.

Vos gueules, dit Thierry.

Ses yeux le piquent, ils sont sûrement rouges. Il parle du nez, l'alcool fait passer la voix dans le nez, c'est marrant.

Il ne cherche pas la bagarre, il veut que le vacarme s'arrête, le bruit des mots l'empêche de se réfugier tranquillement dans l'alcool, qui est un lieu, et non une sensation, solitaire et silencieux. Mais le père prend la mouche au vol, il repousse sa chaise, il se lève d'un coup, il cogne les poings sur la table. On croit qu'il va frapper son fils, les cousins sont contents, tout le monde lève la tête, le temps avant les coups semble toujours très long, Thierry se souvient bien maintenant.

Fous le camp, hurle son père.

Mais il se rassied, il est très vieux. Il répète, sans crier cette fois :

Fous le camp, pédé.

La mère pleure, ce qui ne veut rien dire, elle pleure toujours. Thierry prend la bouteille sur la table et il s'en va, il ne dit pas au revoir, à personne, il boit la bouteille dans l'escalier, il trouve ça trop bête d'avoir foutu sa soirée en l'air, il rentre chez lui à pied.

Il rigole en pensant que son père l'aurait renversé d'une tape sur la tête, il est tellement soûl qu'il tomberait si on lui soufflait dessus. Après il pleure, il regrette d'être allé chez ses parents, il regrette que son père ne soit pas encore mort, mais il n'en est même pas très sûr, un père mort peut être encore plus encombrant qu'un père vivant, même un salaud de père vivant. Le problème c'est juste d'avoir un père.

Devant la porte de son immeuble, il y a un jeune type, Thierry le connaît de vue. Il est content de le voir, il se pend à son bras, il le fait monter dans son appartement, le type prépare un shoot. Thierry retourne les tiroirs et trouve une seringue pour lui, une petite seringue à dix francs qui date du temps où il n'était pas encore repenti. Le jeune type dit : C'est mieux, joyeux Noël, il est séropo.

Le problème, c'est la cuillère, personne n'a pensé à la cuillère, ils ont partagé la même, ces deux-là, morts soûls comme ils étaient.

C'est trop con, remarque Thierry. Maintenant il faut que j'attende trois mois pour le test.

Eh ben, dis-je, eh ben. Comme Noël, c'est moyen.

Il a une grimace déconfite.

C'est sûr, murmure-t-il.

Il baisse la tête, il pose son front sur ses doigts joints.

Note bien que la cuillère, c'est le moindre mal.

Tu n'y connais rien, dit-il d'un ton las.

C'est juste, grâce à Dieu, je n'y connais rien.

OK, choisis un disque. Je fais un thé.

Je me lève, il faut se garder de digérer trop vite les informations. La pensée est un cheval lent. Je vais à la cuisine faire chauffer de l'eau. En passant, je pose un baiser sur son front.

Nous revenons sur l'affaire, nous débattons, nous hésitons à savoir à qui incombe la responsabilité ultime. Je dis la famille. Il dit l'alcool. Je dis la drogue. Mais en fin de compte, nous sommes bien d'accord pour coller le tout sur le dos de la religion.

Nous sommes emboîtés, son torse contre mon dos, ses bras autour de mes épaules. Je fais des exercices spirituels, j'essaie de percevoir le grain doux de sa peau. Il dort, je suis coincée le nez face au mur. J'écoute son souffle dans mon cou.

Au réveil, il raconte son rêve. Il marche le long d'un chemin de montagne, il avance sans se hâter, il sait qu'il a rendez-vous. Le chemin est bordé de fraises, de fraises des forêts, grenues, sauvages et vermillon. Le chemin l'amène à une cascade, où il constate que personne ne l'attend. Il est surpris de se retrouver seul, mais n'en ressent pas d'inquiétude, juste un vertige léger et que tempère le souvenir des fraises. C'est tout.

J'attrape un bloc sur mon bureau et j'en détache une feuille. J'écris : « Il n'y a personne à la cascade, mais il y a des fraises sur le chemin. »

Nous sortons de ma chambre. Il est encore très tôt. Olivia et Amélie terminent leur café. Olivia avise Thierry, qui entre derrière moi, pieds nus, la tête baissée, il boutonne son pantalon.

Ah ben merde, dit-elle joyeusement en tapant sur la table du plat de la main, pour une surprise ! Revoilà Thierry ! Si ça fait plaisir... Prends une chaise mon pote, un café ?

Elle fourre un demi-pain dans le grille-pain. Pressée contre la résistance, la mie s'échauffe. Le grille-pain fume. Olivia souffle. Elle plaisante, elle s'affaire.

Elle lui fait fête. Je suis contente de nous avoir ramené Thierry à la maison. J'aime satisfaire le légitimisme d'Olivia. Comme elle, je déplore les séparations.

11

Putain, ce qu'il fait froid. Le vent balaie sur mes joues mes larmes douloureuses. Il souffle vivement, par chance, sans quoi elles gèleraient, ces larmes, et je mourrais misérablement de gel des yeux, en terre inconnue. Pourquoi la nuit est-elle si noire, si féroce et silencieuse, à peine quitté le ventre de Paris ? Pourquoi n'y a-t-il personne dans ces rues toutes pareilles, et qu'est-ce que j'ai fichu de ce plan qu'elle m'a donné, je suis complètement perdue, un 31 décembre, il est bientôt neuf heures, dans une banlieue morbide, je ne sais même pas son nom.

On n'est jamais récompensé. J'ai pris le métro jusqu'au bout de la ligne. J'ai traversé la zone sombre des arrêts de bus. J'ai sauté les barrières, en dépit des interdictions, et j'ai passé le boulevard en courant, au péril de ma vie. Je suis entrée sans haine dans le labyrinthe des allées pavillonnaires où je tourne depuis des heures. Faut-il vraiment que je crève d'épuisement ? À la veille d'une nouvelle année ? Et parce que Olivia m'a invitée à son spectacle de fin de stage ?

Je me plante sous un réverbère, je sors de mon sac un chiffon de papier que je défroisse. Je tourne le plan dans tous les sens. Je reviens sur mes pas. Une lanterne de papier tremble à la porte d'un garage. C'est là.

Dans le grenier tendu de toile noire, les gradins de bois se remplissent. Des familles, quelques enfants, des groupes d'amis enthousiastes, qui claquent vigoureusement des mains pour briser le froid impérieux que troublent à peine quatre braseros. Je m'applique à ne pas tourner la tête. J'ai vu entrer, il y a quelques minutes, Yvette, le mari et les deux gosses. Ils ont poussé le lourd rideau qui clôt l'espace de la représentation. Ils se sont faufilés dans les gradins. Ils se sont installés deux rangs derrière moi. Je me recroqueville. Avec un peu de chance, ils ne me verront pas, ils auront filé avant la fin du spectacle. Je n'aurai pas à les saluer.

Tiens, vous êtes là ?

La voix me dégouline le long du conduit auditif. Je pourrais répondre : Vous faites erreur, madame, vous confondez sans doute, bonsoir. Mais je feins la stupéfaction, la joie. Je brame :

Yvette !

Saisie, Yvette fait un bond en arrière.

Quelle bonne surprise, chuchote-t-elle, ne bougez pas, nous venons nous installer à côté de vous.

La lumière baisse doucement tandis que la famille d'Olivia descend poser ses fesses sur mon gradin. Le noir se fait, je regarde fixement la scène devant moi.

J'ai horreur du spectacle, dis-je à Cécile, pas plus tard que le lendemain, alors que nous prenons un verre dans un café à demi désert. Le seul plaisir que j'y trouve, c'est lorsque les lumières se rallument. La scène se vide, le rideau se baisse, le public se lève. Je peux m'enfuir. Quel soulagement. Je n'aime pas la moquerie du monde, ni l'impudeur des acteurs. Nous sommes leurs otages, ils pourraient nous obliger à regarder des choses blessantes et...

Tu crois ? fait Cécile, mais elle ne m'écoute pas. Elle me laisse dégoiser en guettant, dans le reflet du miroir qui lui fait face, les rares oisifs qui poussent la porte du café. Elle espère voir entrer des connaissances.

Et pourtant, dis-je, décidée à terminer mon histoire malgré l'indifférence, quand Olivia est entrée dans le rond de lumière, la salle désordonnée s'est tue et j'ai su immédiatement qu'elle allait être excellente. Moi qui n'avais cessé de regarder ma montre, j'ai rabaissé ma manche sur mon poignet. Je ne souhaitais plus tant que le spectacle s'arrête. Elle était formidable, elle flanquait le frisson.

Les gosses vont bien ? m'interrompt Cécile.

Oui, sans doute, ils sont chez Jean-Patrick.

Je suis décontenancée. Les gens me demandent toujours des nouvelles des enfants. Ils se moquent bien de ce que j'ai à leur dire d'Olivia. Ils ne demandent pas de ses nouvelles, à elle. Ils savent bien, pourtant, que nous habitons ensemble.

Je décide de rentrer chez moi à pied, je prendrai par les petites rues, je trouverai bien en route un épicier pour me vendre du lait et des céréales. Cécile pousse son vélo à côté de moi.

Je ne sais pas pour toi, remarque-t-elle, mais pour moi, c'était un mensonge idiot. Il n'a jamais partagé de seringue de sa vie. J'aurais pu m'en douter, je ne le vois pas se piquer, douillet comme il est. L'affaire est qu'il avait couché avec une fille qui ne savait pas encore. Quand arrive son tour de passer l'information, il construit une baraque : si je lui balance pour la fille, ça va faire un scandale, je vais plutôt lui dire que j'ai partagé un shoot avec un pote... Mais il n'a pas pu s'empêcher de me déballer le tout, un peu plus tard. C'est ta faute, a-t-il dit, tu m'obliges à mentir. Tout ça pour te dire qu'il était négatif, au bout du compte.

C'est quand même curieux, dis-je, ces bricolages. Ils me rappellent Jean-Pierre, un petit ami d'Agnès. Ce type n'arrêtait pas de disparaître sans prévenir. Il lui fait le coup un soir de restaurant, il l'invite et ne vient pas. Le lendemain matin, il raconte qu'il a passé la nuit au pieu avec un type qu'il a levé dans une boîte.

Tu te fous de ma gueule ? dit Agnès. Tu n'as jamais regardé un type de ta vie.

Bon, d'accord. Ce n'était pas un type, c'étaient deux filles que j'ai ramassées dans un bar à Pigalle. On est allés à l'hôtel. J'ai inventé l'histoire du type pour que tu ne sois pas jalouse. Tu me pardonnes ?

Tu peux aller te faire foutre, dit Agnès. Fais ton sac et drope.

D'accord ! Ne te monte pas la tête, j'avoue : les deux filles, c'est du flan. En fait, j'ai couché chez Carole. Je suis passé chez elle en fin d'après-midi, elle était très déprimée. Je n'ai pas voulu qu'elle passe la nuit seule, je suis resté. Mais j'ai pensé que deux putes te feraient moins de mal qu'une seule Carole. Bon, c'est fini, tout ça. Tu me pardonnes cette fois ?

Bien joué, remarque Cécile. Et tu y crois, toi, au shoot de Noël ?

La lumière blanche s'efface doucement sur la scène, tandis que la lumière jaune revient dans les gradins. Je me lève brusquement, je bouscule Yvette.

Excusez-moi, je vais aux toilettes, à tout de suite.

Je me fraye un passage parmi le groupe des spectateurs qui fait bouchon devant la porte du grenier. J'avise un type habillé comme un clown.

Je cherche Olivia.

En bas, à la cuisine, elle se démaquille.

Elle est assise, les cheveux relevés, le visage tartiné de crème blanche. Elle discute avec ses collègues. Je ne veux pas l'interrompre.

Je griffonne quelques mots sur une page que j'arrache à mon carnet d'adresses. Je fourre le papier dans la main d'une fille qui piétine dans le couloir.

Si vous pouviez le donner à cette jeune femme, celle qui rit, oui, ses cheveux attachés sur le crâne.

Je remonte le couloir, j'ouvre la porte, je suis dehors. Devant moi, la rue noire aux maisons pareilles. Il est onze heures et demie. La nuit est opaque. Le métro est lointain. Et putain, ce qu'il fait froid.

Je suis assise dans le métro, à la hauteur de Corentin Cariou. Sur le strapontin, devant moi, un garçon se penche vers une fille et l'embrasse. Je regarde la langue franchir les lèvres entrouvertes, passer les dents patientes, caresser lentement la bouche. Si ce baiser n'était pas déjà donné, je le prendrais bien. Je jette un coup d'œil à ma montre. Il est minuit moins cinq.

À minuit, nous sommes à la hauteur de Louis Blanc. Plus personne ne s'embrasse. La nouvelle année vient de commencer.

À minuit et demi, je retrouve Thierry à la Nation. Un ami de Laurent donne une fête. La musique sort en force par les fenêtres du premier étage. Si elles étaient fermées, l'immeuble imploserait, peut-être.

Des groupes bavards se sont agglutinés dans la cour et dans l'escalier. À l'étage, par les portes grandes ouvertes de l'appartement, les gens vont par flots. D'autres dansent pressés les uns contre les autres, sous la verrière. Dans la cuisine, on hurle pour s'entendre. La salle de bains est fermée à clé, un rai de lumière passe sous la porte. J'aperçois Laurent. Il m'indique de la main Thierry qui passe dans le couloir. Je l'attrape par la manche. Je lui mets la langue dans la bouche.

Bonne année, mon vieux.

Il me passe son verre. Je vais danser.

12

Suzanne est allongée sur le canapé. Je la pousse doucement contre le dossier, je relève son pull, je masse son ventre, le mouvement circulaire tourne autour du nombril. Elle regarde le plafond, son visage est pâle, elle grimace.

J'ai mal, gémit-elle.

Je sais.

Elle se plaint depuis le milieu de l'après-midi. Nous avons quasiment épuisé l'arsenal des méthodes, le citrate bétaïne, le Spasfon, le verre d'eau tiède, le mépris, la cassette de *Cendrillon,* le massage. Je joue mon dernier atout.

Depuis que tu es toute petite, souviens-toi, tu transformes les soucis en maux de ventre. Cette fois, je crois que tu as mal à l'école. Tu n'as pas envie d'y retourner demain.

Non, dit-elle, je ne veux pas y aller.

Allons, ce n'est pas si grave.

Elle me lance un regard ulcéré.

Mais si, c'est grave.

Alors n'y va pas. Reste à la maison avec Olivia. Je te ferai un mot. On demandera les devoirs à Marion et tu y retourneras quand tu iras mieux.

Mais Suzanne veut aller à l'école, elle le veut sans discussion et elle a mal au ventre. La main sur son plexus, je lui dis que j'admire sa manière de donner corps à son déplaisir. Nous inventorions différents moyens de nommer les douleurs confuses.

Avoir mal au ventre.

Avoir mal à la tête.

Avoir mal au cœur.

Être trop en avance.

Être très en retard.

Faire un cauchemar.

Vomir.

Elle pense souffrir un peu moins. Elle s'enquiert du menu du dîner.

Pour le ventre, les crêpes, c'est bon ?

Il est dix heures et Suzanne dort profondément. Thomas pousse la porte de la salle à manger.

Je n'arrive pas à dormir, dit-il d'une voix faible. C'est moche. Je m'ennuie dans mon lit et je serai fatigué demain.

Viens t'asseoir à côté de moi. Souviens-toi, quand tu as un souci, tu as souvent des problèmes de sommeil. Tu retournes à l'école demain et je me disais que...

Cette fois, tu ne pourras pas prétendre que l'école n'y est pour rien.

Olivia est revenue tout à l'heure. Elle a passé son week-end à Cergy et elle fulmine.

Avoue, ils ne sont pas malades, les gosses, les veilles de vacances, hein ?

Oui, Olivia. Non, ils ne sont pas malades.

J'ai un peu mal à la tête, je crains moi aussi les veilles de rentrée. Je passe un coup d'éponge sur le plateau de contreplaqué. Le sucre colle à l'éponge, j'ai les doigts poisseux, je ronchonne.

J'aimerais qu'on évite de dire trop de mal de l'école devant les petits. On ne peut pas à la fois les y conduire tous les matins, et leur répéter sans arrêt que c'est atroce. Si l'école est insupportable, on les retire et on les garde à la maison.

Ah non, fait Olivia brusquement, non non. L'enfant a besoin de l'école. Même la pension, ce n'est pas mal, il faut étudier les cas. On peut être très heureux, en pension.

Olivia recommande l'école, c'est remarquable. Elle vante la pension, c'est troublant. Il est bientôt onze heures et je reporterais volontiers les conversations douloureuses. Mais je ne peux pas toujours remettre. J'abandonne donc l'éponge sur la table, je me pose sur l'ampli. J'attends.

C'est à cause de ma sœur. Mon beau-frère fait des saloperies à ma nièce.

Dans la cuisine, tout à l'heure. Ma sœur faisait la bouffe. Il était avec la gamine. Il avait des gestes. Il la touchait devant ma sœur et la petite se trémoussait, j'ai dit :

Arrête tes cochonneries, t'es un vrai salaud.

Espèce d'obsédée, m'a dit ma sœur, espèce de dingue, tais-toi.

Et alors ? a fait mon beau-frère. T'es pas contente, Olivia ? Tu vois pas qu'elle adore ça ? Hein, toi, que t'adores ça ?

Il avait la main dans sa culotte. Elle ne disait rien, elle regardait son père. Tu verrais ces yeux qu'elles ont, les petites filles, le regard menteur, content et excité. Elles n'ont aucune défense.

Olivia a une façon bien particulière de raconter. Elle m'épargne les mots. Elle me protège des brutalités. Elle s'assure juste que j'ai compris.

Ce faisant, elle préserve la distance entre nous. Elle redoute, aussi, que le sens ne se prenne les pieds dans l'image. Elle se méfie de la pornographie.

Ma sœur bricole ses casseroles. Tout se passe sous ses yeux, rien ne se passe. Ses yeux ne voient pas, ses oreilles n'entendent pas.

Olivia, je me dis, Olivia, c'est toi qui es dingue. Il n'y a rien dans cette cuisine. Juste ton cerveau cramé qui déraille.

Une chose est sûre, pourtant, elle me l'a dit elle-même, un jour, il y a longtemps : les quatre ans de prison, c'était du proxénétisme sur mineures. Il a dû en faire des saletés. On ne prend pas quatre ans pour rien, non ? Je le lui rappelle, elle hurle : Ça ne prouve rien, c'était avant le mariage, décidément tu ne penses qu'à ça, tu as vraiment de la merde dans la tête.

Pourquoi elle ne fait pas plus attention à sa fille ? Elle sait pourtant comment les choses se passent, le grand-père la violait bien, elle, quand elle était petite. Faut croire qu'on n'apprend rien de la vie.

Ma mère, ma sœur et moi, mon autre sœur aussi, et maintenant ma nièce, ce n'est quand même pas un hasard... Je me dis que l'abus, peut-être bien, c'est génétique.

Elle s'interrompt, les mains sur les hanches, elle attend une réponse. Aimablement, elle me passe ainsi le relais. Elle sait combien j'aime l'action.

De quoi, génétique ? Qu'est-ce que c'est que cette connerie ?

Ce qui m'inquiète vraiment, c'est l'école. Elle est sérieuse comme tout, Sophie, bien calme, bosseuse, la vraie tête de classe. Et joliment habillée, ma sœur ne rigole pas avec ça. Et tu veux savoir ce qui va se passer ? Il va lui bousiller son petit monde à elle. Elle va perdre l'envie, elle va arrêter l'école. Quand elle aura fait le tour de ce qu'il a à lui montrer, elle sera tout juste bonne pour la rue.

On peut savoir pourquoi tu ne portes pas plainte ?

Pour les gosses. Je sais comment les choses se passent : les flics débarquent à la maison, ils questionnent la gamine, elle fait l'andouille. Jamais elle ne chargera son père. Il ne la force pas, il ne la bat pas. Elle croit que c'est la vie qui est faite comme ça. Les flics repartent et rien ne change. Sauf moi. Je me fais virer. Plus personne ne rentre dans cette baraque, les gosses sont tout seuls, il fait ce qu'il veut.

Tu peux faire une dénonciation anonyme.

Bien sûr. Personne ne devinera qui a balancé...

Même. Les gosses comprendront que leurs parents n'ont pas le droit de faire ce qu'ils font. Il paraît qu'il vaut mieux rompre que cautionner...

Attends, me dit Olivia, je vais te raconter un truc. Quand j'ai débarqué chez Yvette, j'avais treize ans. Je te passe le détail, enfin je te dis juste pour que tu te rendes compte, quand il avait fini, il me passait à ses copains. Tu crois que j'aurais été aux flics ? Mais pas du tout ma pauvre. J'étais contente, j'étais pourrie, j'étais devenue sa femme.

Et puis Corinne débarque chez Yvette. Je ne t'ai jamais parlé de Corinne, je n'ai pas eu l'occasion. Corinne est ma troisième sœur. Elle me dit : Ce qu'il te fait aujourd'hui, il me l'a fait avant, casse-toi de là, je te prends chez moi. Elle me parle pendant qu'Yvette l'injurie : Salope, salope... Qu'est-ce que je fais ? Je pars ? Mais non. Je reste, bien entendu.

Je n'ai jamais revu Corinne. Je lui ai téléphoné, une fois. Elle m'a posé une question : Tu le vois toujours ? J'ai dit oui. Elle m'a raccroché au nez. Dis-moi, à quoi ça m'a servi qu'elle rompe ?

191

Tant que je reste dans la maison, je vois, j'entends. Les mômes savent que, le jour venu, ils pourront compter sur moi.

Attends un peu. Il y a quelque chose qui ne va pas. Pourquoi tu passes des week-ends entiers chez eux ? Pourquoi tu leur demandes de t'aider à déménager ? Pourquoi tu les invites à ton spectacle ?

Parce que c'est ma famille. C'est ma seule famille et c'est ce que tu as du mal à comprendre.

Je vois le visage du beau-frère, suant dans mes escaliers, je vois la silhouette de la sœur, plantée sur mon palier. Puis les enfants, la petite brune timide dans son manteau bleu marine, le garçon en blouson, poli, un peu soufflé.

Je suis contente de t'en avoir parlé, ajoute Olivia qui emporte le cendrier à la cuisine. Souvent, je ne sais plus quoi penser. Je ne sais pas ce que j'ai vu. J'ai peur de devenir folle.

Elle part se coucher, je la retiens par la manche.

Olivia, je n'ai pas eu le temps de te le dire en face. Ton spectacle était bien. Je veux dire : ton spectacle était formidable. Tu étais formidable.

Oui, dit seulement Olivia.

Elle me regarde avec une tranquille certitude. Je reste une seconde interloquée. Je ne suis pas habituée, c'est trop de sérénité.

Tu le sais, n'est-ce pas ?

Oui. Mais je suis contente que tu me le dises. J'ai repéré deux autres stages. Un stage de clown, dans la même école, et un stage de théâtre. Je ne sais pas pourquoi, mais je me dis que ça peut me servir, le théâtre. Quand je bouge, ça n'arrête pas de parler dans ma tête. Peut-être qu'on se trompe quand on croit qu'on travaille seulement avec son corps. Peut-être que le corps silencieux garde toujours la trace des mots, tu dois savoir ça, toi, avec tous les livres que tu lis.

13

Recommence. À partir de 1991 je ne comprends plus rien. Tu faisais quoi exactement, assistante de promotion ou femme de ménage ?

Olivia plonge dans une nuée de feuilles volantes. J'en profite pour enregistrer.

Attends voir les feuilles de paie. Alors, en janvier 1991 je fais assistante le matin pour la maison de disques et femme de ménage le soir dans un magasin.

Ça veut dire quoi, assistante ?

Je m'occupe de vérifier les mises en place dans les grandes surfaces, je classe le courrier, je fais les envois de matériel, les affiches et tout le tintouin.

Pas si vite, je tape... Assistante, ça ne suffit pas. On va détailler. Les bons CV sont très précis. Et on laisse tomber femme de ménage, ça fait désordre.

Comme tu veux.

Quand Olivia m'a demandé de taper son CV, j'ai estimé que nous aurions assez d'un quart d'heure pour faire le tour de la question. Mais nous arrivons à la fin de la matinée, il y a bientôt deux heures que nous y sommes et il reste encore trois ans à taper.

On peut dire que tu as fait tous les métiers.

Oui, mais jamais très longtemps, tu remarqueras.

Pas de problème, on va bricoler. On ne met que les boulots chics et on ajuste les durées.

Vas-y, tu sais mieux que moi.

Alors je reprends. Après assistante de promotion...

Standardiste-comptable au studio d'enregistrement.

Comptable ?

Olivia pouffe dans son dossier.

Je comptais les doses. Et on a fait faillite. Tape standardiste, ça suffira.

Olivia cherche du travail. Un mi-temps, le matin. Elle continuera à s'occuper des enfants à la sortie de l'école.

Elle a acheté les journaux pour les petites annonces. Elle a regardé les offres d'emploi au Franprix. Elle est allée à l'ANPE. Elle est allée voir chez McDonald's. Chez Disney. À la mairie. Elle a dit :

Je suis le rebut de la société. Pas de bac, même pas de niveau bac, il me reste trois choix : cloche, pute, overdose. L'overdose arrangerait tout le monde. J'en ai plein le cul. Je vais demander aux gens que je connais.

Elle m'inquiète. Je ne tiens pas à ce qu'elle reprenne la compta d'un studio d'enregistrement.

Tu n'as pas besoin de faire n'importe quoi. Pas cette année. Pour le moment, je gagne assez pour nous tous.

Je sais. Mais j'ai besoin d'argent pour les stages. À propos, si tu pouvais m'avancer, pour l'inscription. Si tu

194

ne peux pas, ce n'est pas grave, je me débrouillerai. Mais j'aime autant te le demander d'abord, si tu veux bien.

Je fouille dans le tiroir de mon bureau. Je pioche dans l'argent du livre politique. Je tends la somme à Olivia. J'ai le geste cérémonieux des remises de diplômes.

Tiens, voilà.

Elle peut encore se reprendre, et me la refuser. Elle peut faire la maligne. Elle ira mendier auprès de je ne sais qui, en échange de je ne sais quoi. À l'école des sous, elle est complètement nulle.

Fausse alerte. Elle prend l'argent. Elle le met dans sa poche.

Tu sais que je te les rendrai, dit-elle.

Je ne suis pas pressée.

Un pote, que je ne connais pas, lui trouve un mi-temps, de neuf à quatorze. Standard et revue de presse dans un hebdo.

Le journal a tout pour lui plaire. Les articles parlent des célébrités qui passent à la télé. Elle y connaît des gens, personnellement, et même le patron. Elle tutoie tout le monde.

Elle apporte à l'appartement le dernier numéro. Je le feuillette, je le jette, je ne veux pas que les enfants tombent dessus. Ce torchon dégrade jusqu'à l'argent qu'il coûte.

Il est bien dans la cible, m'explique Olivia qui se flatte d'assister aux réunions de rédaction.

Je ne suis pas dans la cible. La cible est remplie de connards malfaisants.

Olivia ne se vexe pas.

195

Je me disais bien que ça ne te plairait pas, dit-elle avec satisfaction.

La voilà donc rassurée. Elle n'a jamais terminé de cartographier mes frontières. Elle n'en voit pas la cohérence. Il faut que je les lui confirme et reconfirme sans cesse. Non Olivia, pas de coucheries à trois. Non, pas de livres pornographiques. Non, pas de vidéos non plus. Non, pas de journaux dégradants. NON.

Aaah, fait-elle, ravie, ça ne te plaît pas... J'en étais sûre !

Elle laisse ses journaux au standard.

Olivia brandit un vieux *Libération* qui traîne dans la salle de bains.

Je la connais ! dit-elle victorieusement.

Sur le papier gondolé que l'humidité a durci, elle désigne la photo d'une cinéaste connue, à l'œuvre généreuse, féministe et végétarienne.

Elle était en classe avec ma sœur. Elles sont toujours copines.

Elle ? Une amie de ta sœur ?

Faut pas croire, elle est bourgeoise, ma sœur. Elle a une grande maison. Elle sait recevoir.

J'ai du mal à le croire. Je n'arrive pas à imaginer la camaraderie entre la réalisatrice féministe et Yvette la dingue.

Elles habitent dans le même coin. Elles sont restées en contact. Elles boivent le café ensemble. Elle est très sympa. Tu as vu ses films ?

Je reviens inopinément dans l'après-midi. Je pose mon sac. J'entends des bruits de rires et de conversations.

Olivia reçoit des amis. J'ôte ma veste, j'entre dans la salle à manger.

Assis sur mes chaises, autour de ma table à tréteaux, une paire de collègues de théâtre, Olivia, Yvette, le beau-frère. Olivia pérore, une cigarette à la main, elle a les joues rouges. Elle est assise à côté de son beau-frère, installée de guingois, assise sur une fesse, elle penche vers lui qui garde les bras croisés sur la table. Elle est en train de raconter une blague. J'entends une phrase. La blague porte sur les préservatifs.

Je ne dis pas bonjour.

Olivia, viens voir ici.

Elle se lève, elle écrase sa cigarette, elle me suit.

Nous sommes dans le couloir. Elle me regarde fixement, les bras ballants, le sourire idiot. Je parle à voix basse et lentement, j'appuie sur toutes mes syllabes.

Je vais sortir acheter un pain, j'en ai pour cinq minutes. Tu te démerdes comme tu veux mais quand je remonterai, je veux qu'ils aient disparu. S'ils sont encore là, je te fous dehors avec eux. Je t'interdis de les recevoir ici.

Je reprends ma veste et mon sac. Je claque la porte.

Quand je reviens, la compagnie s'est éclipsée et Olivia lave les tasses à grande eau.

Comment tu peux, Olivia? Mais comment tu peux?

Elle se penche vers l'évier. Elle ne répond pas. Elle riait, il y a dix minutes à peine, elle parlait de préservatifs, elle faisait des blagues. Le beau-frère s'amusait, les bras croisés. Je me demande jusqu'où admettre ce que je ne comprends pas.

Quelquefois, Olivia parle de sa nièce, elle est une armée défaite, un soldat vaincu, ses yeux se remplissent de larmes d'humiliation.

Il regarde des cassettes pornos avec elle. Ma sœur monte se coucher et ils se collent dans le canapé tous les deux. La télé est au milieu du salon. Dis-moi, comment elle fait, ma sœur ? Elle se bouche les oreilles ? Tu ne trouves pas que c'est un salaud ? Tu crois vraiment qu'elle ne voit pas ? Quand c'était moi, je comprends encore, je ne suis que sa demi-sœur, mais quand c'est sa fille qui a dix ans, pourquoi elle ne dit rien ?

Elle répète sans fin les mêmes questions. Elle n'arrive pas à fixer de réponses. Elle tourne dans l'instant comme un animal stupéfié.

Mais d'autres fois, elle me parle sur un ton badin. Elle me propose une anecdote. Elle attend un commentaire.

Tiens, mon beau-frère a trouvé un nouveau truc. Comme son fils a l'âge d'avoir des petites amies, il fait des vidéos avec les gamines.

Et avec son fils ?

Oui. Ils m'en ont montré. C'est dégueulasse.

Une minute. Tu les as regardées ?

Ben oui, fallait bien que je voie.

Avec eux ?

Oui, au moins je suis au courant.

Mais t'es complètement dingue...

Tu trouves que je ne devrais pas regarder ?

Putain merde, Olivia ! Ce n'est pas que tu ne devrais pas regarder. C'est que tu ne devrais même pas accepter qu'ils t'en parlent.

Mais pourquoi ?

Parce que c'est mal, figure-toi. C'est juste MAL.

Ah bon, fait-elle, tant mieux. Alors tu trouves aussi que c'est mal ?

Parfois elle ne me raconte rien. Je la regarde qui se trouble. Elle marche de long en large. Elle se tord les mains.

Pour la rassurer, je répète sans cesse les mêmes mots qu'elle n'entend pas. Je parle calmement, je suis souvent occupée ailleurs, j'écoute de la musique, je travaille ou je lis. Les mots me viennent mécaniquement, je n'ai pas à en changer. Elle n'en écoute que la musique.

Arrête de rabâcher que c'est un salaud. C'est un criminel. Tu peux le traîner aux assises et le renvoyer en taule pour vingt ans. La société condamne ceux qui abusent des enfants, elle les enferme.

Oui, dit-elle, oui.

Elle marche de long en large. Elle réfléchit. Elle dit :

Je n'arrive pas à le détester. Et ça me tue.

14

Mais je croyais que tu étais contente de ce boulot !

Nous avons pris le métro ensemble ce matin, pour aller travailler. À cette heure de la journée, les wagons sont bondés de gens tristes et fatigués. Nous sommes écrasées contre les portes coulissantes.

À Saint-Ambroise, Olivia a soupiré. À Oberkampf, elle

s'est essuyé les yeux. À République, elle a fondu en larmes. Je l'ai prise par le bras, je l'ai sortie de la foule.

Viens, on va boire un café.

Nous avons remonté la rue du Faubourg-du-Temple et, maintenant, elle sanglote devant sa tasse.

Je ne veux plus y aller, dit-elle entre deux hoquets, plus jamais. Et en plus, tu vas être en retard à ton rendez-vous, et ce sera ma faute...

Elle suçote un morceau de sucre. Elle renifle. Je n'ai pas le cœur de l'envoyer au travail.

Tu vas rentrer à la maison, tu vas te reposer et demain on fera ta lettre de démission. Ne fais pas cette tête, tu as gagné un peu d'argent, ce n'est pas si mal. Tu trouveras un autre boulot et ils embaucheront une autre standardiste.

Oui, dit Olivia.

Mais elle ne rentre pas à la maison. Elle sèche ses larmes et va au journal. Le soir, elle ne veut plus démissionner.

Deux jours plus tard, elle se ronge les ongles dans le canapé. Elle est habillée avec soin, et maquillée. Ses paupières sont des mirages. Elle attend un coup de fil. Le coup de fil n'arrive pas.

J'ai installé l'ordinateur sur la table et je travaille. Enfin, je tente de travailler tandis qu'elle soupire dans mon dos. Je suis exaspérée :

Qu'est-ce qui se passe cette fois ?

Gérard m'a invitée à dîner, il devait me téléphoner à neuf heures, il est bientôt dix heures et il n'appelle pas.

Qui Gérard ?

Gérard du journal. Le directeur financier. Il s'occupe du personnel aussi. Comme il est marié, il ne peut pas me voir en dehors, mais il avait promis qu'il raconterait un bobard pour m'inviter ce soir.

Quel âge il a ?

Quarante. Cinquante. Trente-cinq. Je ne sais pas.

L'instruction du Gérard est rondement menée. J'ai le scénario en mémoire et les rushes en stock, je n'ai plus qu'à monter.

Elle arrive donc au journal. Elle est bien jeune et jolie, et les yeux brillants, elle connaît de bonnes blagues sur les préservatifs. Elle s'amuse, elle pétille. Elle attend de voir qui va tomber. C'est Gérard ! Bravo Gérard !

Le standard est juste à côté de son bureau, ce qui est pratique pour le côté matériel de l'opération.

Lui n'a pas besoin qu'on lui fasse un dessin pour comprendre à qui il a affaire. Il connaît ce genre de fille. Elle, à l'usage, lui découvre de belles qualités : elle le trouve gentil. Elle n'espère rien de précis, enfin rien de beaucoup plus précis qu'une invitation clandestine à dîner. Mais bon, ce serait un peu des palmes académiques, ce dîner, une reconnaissance, un hommage.

Mais qu'est-ce que tu crois ? Qu'il va se compliquer la vie parce qu'il fait des trucs à la standardiste, le matin, dans son bureau ?

Oui, elle le croit. C'est plus fort qu'elle, il faut toujours qu'elle se fiche dedans. Le maquillage coule, le mirage dégouline et pour consoler Olivia, je suis obligée d'amnistier Gérard.

Ne te mets pas dans cet état-là, je ne dis pas ça contre

lui. Je veux bien te croire qu'il est gentil. Mais tu te doutais bien que ce n'était pas sérieux, cette histoire ?...

Je suis une merde, gémit-elle, je suis une merde, je suis une merde.

Qu'est-ce qui te fait pleurer ? Tu es amoureuse de lui ?

Les pleurs s'interrompent. Son visage s'éclaire.

Non.

Tu as déjà été amoureuse ?

Elle rit.

Non. Jamais.

Tu crois que tu pourras tomber amoureuse un jour ?

Jamais. Note bien que je m'en fous. Ce qui me plairait, c'est d'avoir un vrai travail, qui serait utile aux gens, où je serais aimée et dont je serais fière.

Je m'explique, d'un coup, les purs sourires d'Olivia, son cœur inépuisable. Cette fille est une nonne. Une nonne primitive, mais une nonne quand même.

Son cœur est interdit aux unions égoïstes. Tout l'amour qu'elle possède, c'est à nous qu'elle le donne. À moi, aux enfants, à ses neveux, à Amélie, et au premier traîne-savate venu, à qui elle offrira sa chambre et huit cents balles. Elle pardonne au méchant, qu'elle appelle le gentil. Elle ne juge pas les bourreaux, ni ne les condamne. Il n'y a dans son âme aucune place pour la haine.

Ce charme qu'elle dispense autour d'elle, qui rayonne et nous réchauffe, c'est la grande bonté des dingues et des mystiques. De la nonne, elle a l'enthousiasme. La joie. La confusion. Le manque de discernement. Le baiser au lépreux. Pour peu qu'ils ne basculent ni dans la folie ni dans le crime, les plus éprouvés d'entre nous accèdent à la sainteté. Je vis avec une sainte.

Tandis que je médite sur notre condition, Olivia s'interroge.

Et quand on est amoureux, on est jaloux ?

Il me semble, oui, toujours un peu.

Tu vois bien... La jalousie, je n'en ai pas, je ne sais même pas ce que c'est. Même quand je suis bien avec un homme, j'aime qu'il ait des histoires à côté. Ça m'arrange. Mon agrément, c'est de rester à côté de lui. De ne pas dormir toute seule. Le reste, je le fais quand il insiste. Dans ces conditions, je ne vais pas lui reprocher d'aller se vider ailleurs.

Olivia ne fait pas mystère de consentir sans résistance au désir d'autrui. Il arrive même, au détour d'un récit, qu'elle se remémore joyeusement une rapide séduction. Elle en tire une fierté narquoise. Si je ne la connaissais pas, je penserais qu'elle est légère. Et pleine de santé.

Mais pourtant, ça ne te plaît pas ? Du tout ?

Ah là non, tu peux le dire : ça ne me branche pas du tout. La preuve, quand je sors en boîte avec des copains, il faut toujours que je finisse par m'exploser la tête.

Quels copains ?

Xavier, Benoît, toute cette bande.

D'où ils sortent, ceux-là ?

Ça dépend. Xavier travaille dans un journal. Benoît est producteur de films. Quand je pars la nuit, c'est eux que je rejoins.

Très bien, dis-je. Je me demandais ce que tu pouvais

bien fabriquer à te barrer au milieu de la nuit, maquillée comme un arbre de Noël. En fait, tu allais en boîte ?

Olivia est un peu fébrile. Elle éteint sa cigarette. Elle relace ses bottines.

Bon, je te le dis. De toute façon j'aurais bien fini par te le dire un jour. On va chez Fred et Manu, ou chez Claude, tu vois le genre ?

Non, je ne vois pas le genre.

Olivia me considère d'un œil critique.

Mais si enfin, Fred et Manu, tu sais bien, toutes ces boîtes à partouze… Au début, c'est sympa, on boit des verres. Mais après, quand il faut y aller, tout se complique. D'un côté, je ne dis pas non. D'un autre côté, je ne peux pas le faire si je ne suis pas complètement bourrée.

T'as vu dans quel état tu reviens, le matin ? Et tu prétends que tu te marres ?

Ben oui, j'y peux rien. Sur le coup, je suis contente. Ils sont éclatants, Xavier ou Benoît. Ils m'invitent, ils paient les verres, après je dors chez eux. Et tu ne devineras jamais toutes les vedettes que j'ai vues. Allez vas-y, dis des noms… Des acteurs de cinéma, des comiques, des animateurs de la télé. Cela dit, c'est comme partout, on rencontre de vrais cons. Mais aussi des gens très sympas, faut pas croire.

Mais enfin andouille, rien ne te sert de leçon ? On te donne un paquet de bonbons et tu baisses ta culotte ? Après tu pleures comme un veau et tout ce que tu trouves à dire c'est que c'était marrant ?

T'énerve pas, déjà quand j'étais môme, c'était pareil. Tu aurais vu mon beau-frère, il m'emmenait dans sa camionnette et toute la troupe me passait dessus à l'arrière. Les types rigolaient, je n'y voyais pas à redire, je pensais qu'on était potes. Sauf que quand je me suis barrée, j'étais complètement alcoolique. Je ne dis pas que c'est la faute de mon beau-frère, ma mère aussi était alcoolique. Mais quand même. Tout le monde n'est pas alcoolo à quinze ans.

Gérard n'est pas venu chercher Olivia pour dîner. Le lendemain, elle me demande de l'aide pour écrire la lettre de démission.

Gérard l'appelle dans son bureau. Il lui rend sa lettre, il lui propose un licenciement. Il ajoute un mois de préavis payé non effectué, et deux mille balles de la main à la main. Elle a trouvé l'argent des stages. Elle m'appelle, un matin. Elle sort de sa poche une liasse de billets qu'elle déplie soigneusement.

C'est pour toi, me dit-elle.

Elle me rembourse, en billets de cinquante.

Tout à l'heure, sur le boulevard, raconte Olivia, j'ai croisé un type que j'avais rencontré dans une boîte. Je lui ai dit bonjour. J'ai cru qu'il allait s'arrêter, me serrer la main, m'inviter à boire un café. Mais non, il a filé comme un rat. J'ai pensé qu'il ne me reconnaissait pas. Puis j'ai fini par comprendre qu'il le faisait exprès. Tu ne trouves pas que c'est un vrai salaud, un type qui fait ça ? Il pouvait au moins me dire bonjour, tu ne penses pas ?

15

Tandis que nous devisons la nuit, et tandis que je considère le passage des icebergs, la vie poursuit son cours. Nous avons entrepris la lecture à haute voix de *Huckleberry Finn*. Laurent est dépressif, je passe prendre le café chez lui, le matin, ses dépressions me réconfortent. Mes parents ne me téléphonent pas, je suppose qu'ils sont heureux, pas de nouvelles, bonnes nouvelles. Le Monopoly prend la poussière au-dessus de l'armoire des enfants, il a été détrôné par la Bonne Paye. Le jeu consiste à gérer un budget familial, impôts, emprunts, frais divers et d'entretien. On peut aussi gagner au loto.

J'arrête de fumer, j'arrête de boire, je crois en Dieu, je deviens végétarienne. Rien de tout cela ne tient plus de six heures. Je suis souvent découragée.

Denis revient du Canada. Il sonne sans prévenir, un soir que je reçois. Fatigué par le voyage, il salue distraitement, il va directement à ma chambre et se couche dans mon lit où il s'endort. Laurent admire une telle désinvolture.

Tous les photographes sont obsédés sexuels, m'annonce-t-il avec une assurance triomphante. On ne peut pas le leur reprocher, ils sont obligés de travailler avec leur regard.

Denis se lève avant le matin et il rentre chez lui.

Je croise les affiches des magazines placardées aux devantures des librairies. Elles voisinent avec les réclames pour les messageries. Les filles sont jeunes, elles montrent leurs seins, elles montrent leurs langues, elles écartent leurs cuisses ou présentent leurs derrières.

Je ne vois plus les seins, je ne perçois que le visage, je m'interroge. D'où vient-elle, celle-ci ? De la DDASS ? Ou peut-être de Russie ? Qui l'a amenée sur cette photo ? Combien a-t-elle empoché pour faire ce qu'elle fait, là ? Et que fait-elle de l'argent qu'elle a gagné ?

Les féministes sont des putes, lance Laurent, un soir de dîner.

Il a un peu bu, il adore les débats d'idées.

Elles rêvent de nous broyer les couilles. T'as vu l'inquisition sur les campus américains ? Imagine, en France, un prof pourchassé parce qu'il drague une étudiante...

Posée à côté de lui, sa chérie opine. Elle a l'approbation hypnotique et pour lui des regards adorants. Elle psalmodie : Les féministes sont des putes, les féministes sont des putes.

Laurent vante un ami, un prof de philo un peu artiste, qui se flatte en privé de surnoter de quelques points les étudiantes qu'il trouve jolies. Et de les inviter à dîner. Laurent est en joie. Ces points de concussion, c'est son 1789, son 1792, et même son couronnement, il aime les chefs de guerre victorieux, Mitterrand, de Gaulle, Napoléon.

Il pérore, je change les assiettes, j'amène le dessert. J'ignore les provocations. Il ne m'aura pas dans cette discussion idiote.

Quand je pense à ce pauvre Woody Allen, lance-t-il alors, à la cabale montée par cette salope de Mia Farrow, j'ai peur de ce qui pourrait nous arriver.

Il me guette du coin de l'œil.

207

Hé Ducon, dis-je les bras chargés d'assiettes, tu commences à me chauffer. Si ce type rêve de félicité conjugale, il n'a qu'à éviter l'inceste.

Quoi, l'inceste?

Laurent me regarde avec une joyeuse satisfaction. Je viens d'entrer dans ses filets. Il va serrer les cordons. Dans trois minutes, je suis cuite.

L'inceste, je te dis.

Conneries. La fille est adoptée.

Justement, l'adoption aggrave le cas. C'est Françoise Héritier qui le dit, une anthropologue qui travaille sur la parenté.

Laurent se gausse. Il appelle l'assemblée à témoin.

Gavage idéologique. La racaille féministe veut sa peau parce que la fille est jeune. Ça s'appelle une revendication catégorielle, ma pauvre. On ne m'empêchera pas de trouver heureux que le type de soixante ans se barre avec la gamine, ça fait les pieds à l'autre vieille!

Autour de la table, les hommes rigolent. Ils me regardent. Ils m'évaluent sous ma chemise.

Mais, dis-moi, reprend Laurent, hilare, ta Françoise Héritier, c'est une femme ou je me trompe? On peut savoir son âge?

Je pourrais le mettre à la porte, j'hésite un instant, il est tard et le courage me manque. Je me réfugie à la cuisine où je lave les assiettes. À côté, on hurle de joie, on évoque les larges fesses de Mia Farrow, et ses cheveux ridicules. Le vacarme est complet, pourvu qu'il ne réveille pas les gosses. Je peux être fière : les dîners que j'organise sont très réussis, les convives sont spirituels, les gens s'amusent.

Enfoncée seule dans mon canapé, je laisse la fureur m'écraser. D'ordinaire, les choses se passent plus aisément. J'ai l'habitude des affrontements avec mon frère. Je sais ce que dissimule entre nous le paravent de la guerre des sexes : une guerre fratricide. Nous n'avons pas de meilleur lien, ni plus solide, que cet affrontement toujours reconduit.

Parfois je me venge. Je brandis sous son nez les rapports de l'Onu, de l'Unicef, du BIT. J'administre publiquement la lecture des tourments faits aux femmes, les crimes impunis de nos frères humains, de Chine, d'Inde et de Russie, d'Afghanistan, des Émirats, de Serbie, de Thaïlande... J'invoque les limbes des petites filles assassinées.

Laurent résiste mal, et pas très longtemps. Il est comme tout le monde, il a ses nerfs. Il finit par m'arracher les dossiers des mains. Je m'en fiche, je peux parler sans notes.

Alors il crie :

Ce n'est quand même pas ma faute !

À ce stade, il me fait un peu pitié. Lui qui, dans le fond, aimerait tant être un juste. Mais il me fatigue. Alors je l'achève. Je dis :

Mais si c'est ta faute. Tu n'as jamais rien fait d'autre que de flatter le camp des bourreaux. Qu'as-tu appris de l'histoire pour prétendre aujourd'hui que ce n'est pas ta faute ?

Il bat en retraite. Il quitte la pièce. Je pose mes papiers sur un meuble. Je ne peux pas perdre tous les combats.

En temps courant, je pratique cette rivalité vivifiante sans états d'âme. Alors pourquoi, ce soir, me donne-t-elle envie de pleurer ?

209

Je suis fragile et fatiguée. Je suis lasse des affrontements. J'aimerais, un court moment, que le désir soit un volcan éteint, et que nous soyons une prairie indistincte à son flanc noir et fertile.

16

Je ne parviens pas à me débarrasser des récits d'Olivia. L'iceberg est en train de noyer ce bon désir qui était le mien. Un brouillard confus efface progressivement en moi la frontière qui distingue l'honnête homme du criminel.

Depuis quelque temps, je pratique sans entrain les activités libidinales qui me réjouissent et me consolent si bien d'ordinaire. Je manque d'enthousiasme. J'ai l'esprit plein d'ordure. Qu'est-ce qui nous différencie des voisins, des Lerouilly, des beaux-frères, des Xavier, des Benoît ? Je patauge. Je m'enfonce. J'enrage. J'ignorais jusqu'alors que j'étais nue. Mais je viens de me manger l'arbre de la connaissance et je suis punie de ma science : je suis à poil et je me fais horreur.

Une nuit que nous revenons du cinéma, alors que nous buvons nonchalamment à la table de sa cuisine, je demande à Thierry de me confier l'une des images cachées qui sommeillent dans les greniers de son désir. J'attends, j'insiste. Il finit par répondre, il a le sourire timide. Alors, il rêve à une très jeune fille, il le dit innocemment, il raconte un souvenir ancien, il s'excuse presque. Une très jeune fille, voilà, que je séduis, ce n'est pas très original, n'est-ce pas ?

Me voilà bien attrapée, moi et ma curiosité imbécile. Par ma faute, je me retrouve plantée, le nez sur ma carte mentale, cherchant à nouveau dans la nuit les frontières qui séparent le bon du méchant. À ce compte-là, il n'est plus question d'image, plus question de désir, il n'est plus question de rien du tout. Je m'allonge à côté de Thierry, je lui tourne le dos et je m'endors, le front dans l'oreiller.

Avec Denis, les choses ne sont pas plus simples. Il me raconte en passant combien il est ému par la moiteur des peep-shows, la nostalgie des strip-teases et les corps en vitrine.

Hé, lui dis-je en manière de rappel, on croirait que tu parles de choses, mais ce sont des personnes vivantes que tu vois et dont tu fais commerce.

C'est ce qui est troublant, répond-il, et tellement attachant. Tu trouves que je suis un salaud ?

Oui bien sûr, dis-je, ou non je n'en sais rien. Pourquoi me raconter tout ça, j'en ai marre à la fin, je ne suis pas ta mère.

Nous croisons dans les mêmes eaux, à peine plus claires, parfois, ou plus boueuses. Il n'est pas si facile de poser des frontières dans la flotte, je passe un temps fou à larguer des balises.

Je grandis en humanité. Je ne sais pas si je dois en remercier Olivia, ou si je dois la maudire. Mais si les choses continuent ainsi, je ne donne pas cher de ma libido.

Je ne peux pourtant pas renoncer aux bons plaisirs de l'amour. Il va falloir que je m'arrange avec le monde. J'organise la résistance. Je mets au point une nouvelle discipline mentale à laquelle je m'astreins.

J'imagine un bénitier géant, une sorte de baignoire sabot aux nervures de coquillage. Je m'y plonge. Et je prie.

Bénissez, mon Dieu, nos lits.

Bénissez les hommes, et bénissez les femmes, et bénissez leurs corps.

Bénissez les pipes, les longs baisers secrets, les caresses diverses et les cris attenants.

Bénissez nos images mentales, nos rêves et nos cauchemars.

Et bénissez, mon Dieu, la sodomie.

Mais gardez-nous du mal, et gardez nos enfants.

Pardonnez nos erreurs.

Et tuez les méchants.

Je reviens du cinéma, il est bien tard, je propose à Cécile de boire un café chez moi. Olivia m'attend dans le canapé, elle regarde la télé. Nous ne sommes pas sitôt entrées qu'elle se lève. Elle a son manteau sur le dos, et sur le visage ses peintures de guerre.

Oh Olivia, dis-je seulement, tu es sûre ?

Oui, répond-elle et elle se dirige vers la porte. À demain.

Je l'accompagne jusqu'à la porte que je referme doucement derrière elle.

Qu'est-ce qui se passe ? demande Cécile.

Rien, dis-je. Une sorte de routine.

Le lendemain, Olivia est pâle dans la cuisine, elle boit son café en silence. Je ne m'attarde pas. Je prends ma tasse et je retourne à ma chambre. C'est elle qui me suit.

J'aimerais bien arrêter mais je ne peux pas m'en empêcher, commence-t-elle alors que je ne lui demande rien.

Tu as d'autres amis. Tu peux aller dormir chez eux quand tu as envie de sortir. Agnès, Armelle, Jean-Luc et toute la clique, ils sont toujours contents de te voir.

Je le sais bien, répond Olivia avec un sourire découragé. Mais ce n'est pas pareil.

Justement, dis-je.

Justement, répète-t-elle.

Elle s'ennuie avec eux, avec leurs livres, leur bonne gentillesse et leur générosité sans défaut. Elle s'ennuie à longueur de temps, elle doit faire tant d'efforts pour les écouter et leur répondre, pour mériter leur attention et leur respect. Elle veut bien les voir de temps en temps, mais pas trop souvent, non, elle est jeune, elle a envie de sortir, elle a envie de s'amuser.

Avec moi aussi, tu t'ennuies ?

Dans la journée, Olivia vide mes placards. Elle entasse dans un sac-poubelle les vêtements que je ne mets jamais. Elle m'arrache mon accord avant de fermer le sac. Elle le balance sur son dos. Elle va le porter aux Chiffonniers d'Emmaüs, en bas de l'avenue.

Elle m'a demandé de trier ma bibliothèque. Elle donne les livres à un foyer de jeunes filles du onzième arrondissement.

Ça m'énerve, dit-elle, tous ces trucs qui ne servent à rien chez les gens.

Elle connaît tous les enfants de l'école, elle connaît aussi les parents, elle est au courant de tous leurs soucis, les grands-parents péruviens qui ne peuvent pas venir en France faute de visas, les gosses qui ne prennent pas de petit déjeuner, les mères qui travaillent trop pour être à l'heure à la sortie des classes. Elle plaint les unes, elle bourre les autres de gâteaux secs, elle me présente les mères débordées et j'invite les gosses à dormir. Elle qui, de sa vie, n'est jamais allée manifester m'accompagne à un défilé contre les nouvelles lois sur l'immigration. Place de la Nation, elle regarde, étonnée et dubitative, la foule maigre qui s'éparpille. Elle ne s'attarde pas.

Je suis venue pour la petite Paula, remarque-t-elle, l'enfant a besoin de grands-parents.

Je comprends, avec elle, que le bien n'est pas l'envers du mal, que le jour n'est pas l'envers de la nuit, ni le blanc l'envers du noir. Le génie d'Olivia traverse en sifflotant le territoire du bien.

Troisième partie

1

Allongées côte à côte sous la couette, nous avons bu de la verveine en regardant le feu.

Et avec Olivia, ça va ? m'a demandé Agnès.

Oui, ai-je décliné, repoussant l'envie qui me venait de parler plus longtemps.

Ce que je savais d'Olivia était depuis beau temps devenu incessible.

J'aurais aimé pourtant passer la charge.

Tu ne devineras jamais ce que m'a raconté Olivia ?

Non...

Eh bien...

Les mots s'arrêtaient là. Je peinais à les articuler. Viols, abus sexuels, petits bouts de bois dans le vagin. Non vraiment, à quoi bon les prononcer sans motif, je ne suis ni flic, ni médecin, ni juriste. J'aurais trouvé, à leur vain usage, une forme d'idiote brutalité, à mon égard, à l'égard d'Olivia absente, à l'égard du quidam convoqué à l'écoute.

Il m'était arrivé de passer outre, je m'en étais immédiatement mordu les doigts.

Olivia, avais-je dit par exemple, Olivia a été violée quand elle était petite.

Ah bon ? Ça ne m'étonne pas vraiment ! avait crié mon interlocuteur, furieux, et je m'étais tue.

Mais s'il avait insisté avec une franche curiosité : Pas possible ? Raconte !, dans ce cas aussi je l'aurais bouclée, horrifiée par son désir d'entendre, et refusant d'y satisfaire.

Où, et quand, d'ailleurs, aurais-je pris l'opportunité de déverser mon petit tombereau ? Dans la cuisine de mes parents, au terme d'un déjeuner arrosé ? Chez des amis, à l'occasion d'un anniversaire ? Dans le métro, le soir, en bavardant avec un collègue qui prenait la même ligne que moi ?

Je savais qu'à le dire, il n'en resterait que l'anecdote, la trame nue qui n'a pas de sens. Plus rien des soirées passées ensemble où les enfants riaient, plus rien du temps qui nous meut et des maux qu'on échange, plus d'affection, plus de raison. Les histoires sont toutes les mêmes, il n'y a pas à aller loin pour en pêcher mille autres semblables. Les journaux en sont pleins, nos entourages aussi, ils sont remplis d'enfants trompés et de jeunes gens qui veulent mourir. Ceux qui n'en connaissent pas ont dû sceller leurs yeux.

D'Olivia, je ne parlai donc pas à Agnès qui haïssait les histoires tristes et compliquées. Elle préférait dompter les douleurs. Elle grimpait sur sa moto et faisait des tours de périph. Ça me calme, grognait-elle, ça me calme. Je montais derrière elle, je l'enlaçais et je posais la joue sur le cuir froid de son blouson.

Des torrents de lumière inondaient l'appartement, les fenêtres ouvraient sur tous les pans du ciel. Agnès venait de partir et je buvais du café froid.

Ils sont entrés en pyjama, tous les trois, dans mon dos.

On a un truc à te dire, a claironné Olivia.

Thomas et Suzanne se pressaient dans ses jambes.

Bon anniversaire. Donne-lui, Suzanne.

Suzanne a tendu les bras. Déposé dans ses deux mains ouvertes, un petit paquet rectangulaire, entouré d'un ruban de tissu bleu roi.

J'ai défait le ruban. Sous le papier, une boîte. Dans la boîte, un stylo. Un stylo à bille, au corps vert Véronèse, fin mais lourd, cerclé en son milieu d'une bague dorée. Il fallait le tourner pour faire sortir la pointe.

Je n'ai jamais eu un aussi joli stylo, ai-je déclaré. En plus, c'est pratique, pour mon travail, je vais m'en servir tout le temps.

Tu vois, je te l'avais dit, a murmuré Olivia à l'oreille de Thomas.

J'admirais mon cadeau avec ferveur quand Olivia me l'a pris des mains.

Ce stylo, ce stylo que tu vois, a-t-elle déclaré avec solennité, est garanti à vie.

À vie, a répété Thomas.

Un souffle de fierté a traversé la pièce, nous ébouriffant tous au passage. J'ai pensé que j'étais mortelle. Ou immortelle. Ou que ce stylo peut-être, était, lui, immortel. Ou mortel. Tout cela était un peu confus, reste qu'en attendant nous étions au sec et au chaud, là-haut, tout en haut de l'Olympe.

J'ai remercié Olivia dans le couloir.

C'est un très beau cadeau. Je sais que c'est toi qui l'as payé, merci.

Olivia a hoché la tête avec bonhomie.

C'est normal, va. Il faut bien fêter les anniversaires, pour les gosses. Pour nous aussi, note bien. On n'est pas des chiens.

2

Régnait, dans les rues et sur les places, cette odeur de jacinthe et d'eau qu'apporte avec lui le printemps, si touchante en ville où elle se mélange à la poussière des diesels et aux vapeurs d'essence. D'où vient-elle, cette odeur de jacinthe ? De la mémoire sans doute, que nous gardons des saisons, et de l'envie que nous en avons. L'automne a bien un parfum de pomme, de brume, et de bois mouillé. L'hiver sent la fumée, et l'été la vanille. Ce n'est pas le moindre miracle des villes que de nous rappeler combien les jacinthes sont bleues, que nous ne voyons jamais, étrangères à notre paysage mais pas à notre désir manipulateur.

Enfin bon, c'était le printemps, qui réjouit les femmes et met entre leurs jambes de petites chansons qui les rendent jolies et gaies. J'aurais dû, moi aussi, participer au réveil général, mais non, chaque jour nouveau me trouvait un peu plus triste.

Ce n'était pas la joie qui me manquait, et son absence

que je déplorais, c'était le courage qui me faisait défaut, et la force.

Il m'arrivait le soir, alors que j'avançais dans *L'Île au trésor*, de m'endormir au milieu de ma lecture. Les yeux me piquaient, les lignes se chevauchaient sur la page, j'entendais ma voix se brouiller, la tête me glissait sur l'épaule, je somnolais. Sans m'en tenir rigueur, Suzanne et Thomas m'abandonnaient sur mon canapé. Olivia les accompagnait dans leur chambre où ils se couchaient, puis elle montait silencieusement chez elle. Je me réveillais dans la nuit. Parfois je travaillais, parfois je me couchais.

Je rêvais sans cesse que je découvrais des pièces secrètes dans mes appartements, il arrivait que les pièces donnent sur des jardins à l'abandon. J'emménageais aussi dans des demeures menaçantes, aux plafonds hauts, aux vitraux sombres, nous étions obligés de dormir sur le seuil, mes enfants et moi, je me trompais tout le temps de maison, j'étais incapable de m'installer.

La fatigue me prenait tout entière, plus rien ne lui faisait obstacle, ni le café, ni l'amour, ni l'alcool. Je tentai de résister en forçant mon corps. Mais plus je voulais l'ignorer, plus il prenait de place. Je n'avais plus d'esprit, et je n'avais plus d'âme. J'étais réduite à ce corps encombrant et triste, et il passait une bonne partie de mon temps à pleurer. Quel printemps pourri, quand j'y repense, mais quel printemps pourri.

Logiquement, c'était du moins ce qui me servait de logique, arriva le moment où je songeai à mourir, je ne voyais pas d'autre issue à ma fatigue. Quand je pensais le monde, il me semblait plus harmonieux sans moi. L'idée m'était familière, je la baladais avec moi à longueur de journée, sans peur ni colère, me disais-je, moi que dévoraient la peur et la colère.

L'idée de la mort me rassurait, moins douloureuse que toutes les autres idées, les matins épuisés, le loyer à payer, les papiers à rendre et Mylène qui me convoquait à d'interminables réunions de réécriture où elle me martyrisait comme un gosse qui a mis la main sur un grillon. Elle me faisait jurer que j'aimais le travail qu'elle me donnait, et je répondais oui oui oui, me répétant que je pouvais toujours mourir, si je voulais, je n'étais pas prisonnière, de rien ni de personne, je pouvais tous les planter, tout à l'heure, là où j'irais au moins il n'y aurait plus personne pour me faire chier.

Je dressais des plans sur l'avenir. Je comptais sur Jean-Patrick pour s'occuper de nos enfants une fois que je n'y serai plus. Je lui faisais une grande confiance, il était si tendrement paternel. Je ne doutais pas qu'il se remarierait en un tournemain. Il saurait se choisir une épouse amicale et consciencieuse.

À ce stade de ma réflexion je fondais immanquablement en larmes, j'aimais trop Thomas et Suzanne pour imaginer renoncer à leur compagnie, le lien qui me tenait à eux était si fort qu'il m'arrimait malgré moi à tout ce dont je ne voulais plus.

Mais, les jours passant, j'en vins à douter de plus en plus gravement de ce que je pouvais bien apporter à mes enfants. Je tombais dans un puits très profond, aux parois faites de doutes et de contraintes. Je tombais seule et je tombais sans fin.

Un vendredi, je résolus de mourir. J'appelai Jean-Patrick pour lui demander de prendre exceptionnellement les enfants chez lui, pour ce week-end qui n'était pas le sien. Je prétextai le travail prenant, les dossiers en retard, notre commun besoin d'argent.

Jean-Patrick acquiesça sans réticence.

Tu es fatiguée ?

Oui, répondis-je, en ce moment, au bout du rouleau même.

Je comprends, dit Jean-Patrick. Moi par exemple, j'ai demandé un temps partiel, j'ai absolument besoin d'écrire et de faire du sport, c'est l'avantage de la fonction publique, on gagne peu mais on a du temps, je prendrai les petits samedi matin.

Le soir, j'ai négligé de travailler. À quoi bon travailler le vendredi quand on veut mourir le samedi ?

J'étais seule, Olivia était sortie sans me dire où elle allait, ce qui me laissait penser que je ne la reverrai pas de sitôt. Assise devant la télé, à côté de la bouteille de vodka, j'ai regardé la télé toute la soirée, j'attendais le matin. Je n'avais plus de souvenirs, je n'avais plus de projets, je n'avais plus rien que l'attente et la détermination, Jean-Patrick allait venir chercher les enfants, ensuite je serais seule et tranquille.

Mais, ce soir-là, Olivia était tout simplement allée au cinéma. Après la séance, avant de monter dans sa chambre, elle était repassée par l'appartement.

Il était bien tard quand elle est entrée dans le séjour. Je ne l'ai pas entendue tourner la clé dans la serrure. À un moment, j'ai levé les yeux de la télé et elle était là, elle me regardait avec consternation.

Tiens, ai-je bredouillé, tu es là, toi.

Elle ne m'a pas répondu. Sans ôter son blouson, elle a éteint la télé et elle a emporté la bouteille de vodka à la cuisine. J'ai pensé un instant qu'elle voulait me parler, mais non, à mon court étonnement, elle n'a pas cherché à lancer la conversation. Quant à moi, je ne tenais pas tant à parler la première, les mots auraient collé dans ma bouche, je les sentais qui faisaient une pâte épaisse, ils auraient buté contre ma langue. J'hésitais à me lever, j'avais un peu la nausée. En silence et sans bouger, j'attendais qu'elle monte se coucher, j'espérais que mon mutisme la découragerait. Ce fut peine perdue. Elle a ôté son blouson, elle l'a jeté sur une chaise.

Va te coucher, m'a-t-elle dit, je vais dormir au salon.

Voilà qu'elle me donnait un ordre, elle, un ordre solide et franc sur lequel m'appuyer, quel culot. J'étais trop soûle pour renâcler, je lui ai obéi, je me suis lentement levée du canapé. Pendant ce temps, elle a pris un T-shirt dans le bac à repassage, elle a déplié une couverture qu'elle a flanquée sur le canapé.

Les enfants sont là ? a-t-elle encore demandé.

Ils dorment.

J'ai traversé la pièce d'un pas contrarié. Puis j'ai voulu éteindre la lumière.

Laisse, a-t-elle dit. Tu sais bien que je ne peux pas dormir dans le noir.

Elle a cherché NRJ sur le tuner, elle a monté le son et elle s'est enroulée dans sa couverture.

Je suis tombée sur mon lit sans ôter mes vêtements, j'ai

224

éteint ma lampe, j'ai pensé que je n'arriverais pas à m'endormir, l'alcool me levait le cœur. Mais de ma chambre sombre, je voyais la lumière du séjour qui éclairait le couloir et j'entendais la radio monotone, alors j'ai pleuré et je me suis endormie.

J'ouvrais de temps en temps les yeux et je les entendais qui bavardaient dans la cuisine, Olivia, Thomas et Suzanne. Ils jacassaient, ils préparaient les affaires nécessaires au week-end, un jeu, une poupée, des chaussettes qu'ils fourraient dans un sac. J'ouvrais et je fermais les yeux, derrière mes paupières défilaient des images semblables à des motifs imprimés, des bols, des palmiers, des cerises rondes, des cascades naïves. Un peu plus tard, je l'entendis décourager Jean-Patrick qui voulait me dire bonjour.

Laisse tomber, elle a travaillé très tard, il faut qu'elle se repose, elle t'appellera chez toi tout à l'heure.

Et bientôt ils furent partis, mes enfants et leur père, qui me semblaient si joyeux et si dignes de vivre, moi j'étais usée.

J'avais accumulé, sur la dernière étagère de l'armoire de la salle de bains, assez de médicaments pour m'endormir pour de bon. À condition qu'on me laisse seule, bien entendu, le temps de mourir. À condition qu'Olivia vide les lieux.

Mais elle vaquait dans la cuisine. Puis dans la chambre des enfants. Puis dans la salle de séjour. Elle repassait devant la télé, j'entendais le commentaire inepte d'un documentaire animalier que rythmaient les hoquets humides du fer à repasser.

Qu'est-ce qu'elle fabriquait? Pourquoi ne filait-elle pas s'occuper de ses affaires, de ses bonnes œuvres, de ses amis, de son théâtre, comme elle le faisait le samedi en temps ordinaire, pourquoi n'avait-elle pas rendez-vous chez le gynécologue, chez le phlébologue, chez le psychothérapeute?

Je me levai et je fonçai à la cuisine. J'entendais me faire un dernier café, je n'étais pas de bois, cet appartement sentait le pain grillé à plein nez.

Salut, m'a lancé Olivia en me voyant passer dans le couloir.

Elle a abandonné son fer et m'a suivie dans la cuisine.

Assieds-toi, je vais te le préparer.

Elle ne s'est informée ni de ma santé physique ni de ma santé morale, elle ne m'a même pas jeté un coup d'œil, elle m'a fait du café et a grillé pour moi du pain qu'elle a maçonné d'une épaisse couche de beurre.

Tu n'as rien à faire aujourd'hui? ai-je demandé, ma première tasse de café avalée.

Quelque chose tapait dans ma tête, je plissais les yeux en parlant, j'étais assommée par mes propres paroles.

Je ne sais pas encore, je vais voir, ça dépend, a-t-elle répondu, laconique, se gardant bien de m'assurer de quoi que ce soit.

Mais je dois travailler, ai-je insisté les yeux fermés, j'ai besoin de calme.

Oui, oui.

Là-dessus, elle a rempli mon bol et elle est partie s'enfermer dans la salle de bains.

Elle y est restée un temps considérable. Je m'étais recouchée et je me livrais à la réflexion. Je veux dire que je pleurais à chaudes larmes, ayant renoncé à toute action sur le monde, abandonnée au désespoir.

Quand elle est sortie de la salle de bains, les yeux me brûlaient. Elle est entrée dans ma chambre et elle a contemplé mon lit, j'étais roulée en boule sous la couette, cachant mon visage défait.

Sors de là, a-t-elle dit, je sais bien que ça ne va pas, ce n'est pas la peine de faire la maligne

J'ai sorti le nez de mon terrier de coton.

Tu verrais ta tête, a-t-elle remarqué, c'est presque comique. Je t'ai fait couler un bain, tu devrais aller le prendre.

Elle s'est assise au bord de mon lit. Enroulée dans un drap de bain, elle portait les cheveux drôlement noués sur la tête, en une sorte de toupet dont les mèches retombaient sur son visage.

Olivia, ai-je gémi, je suis en train de déconner.

Si tu veux mon avis, a-t-elle remarqué en prenant un paquet de cigarettes sur mon bureau, ça fait un bout de temps que tu déconnes.

Et elle a allumé une cigarette.

Tu devrais aller te laver, je dis ça pour ton bien.

Je me suis levée et je suis allée à la salle de bains. Je ne voulais pas me baigner, je voulais regarder mes bons cachets du haut de l'armoire. Je me suis haussée sur la pointe des pieds, j'ai repoussé les tas de serviettes éponge, j'ai tapé du plat de la main dans les recoins de l'étagère, et je n'ai rien trouvé. Pas une seule des boîtes que j'avais soigneusement rassemblées et dissimulées aux regards. Pas une seule. Désemparée, je me suis déshabillée et je me suis glissée dans l'eau caressante. La baignoire était remplie à ras bord, il a suffi d'une vague pour faire un raz de marée. J'ai longuement regardé mes jambes dans l'eau déformante. Je me suis étonnée de mes pieds, du dessin des petits os et des veines, tendues sous la peau fine, de mes pieds minutieux avec tous leurs orteils en place. La chaleur vaporeuse m'est montée au visage, je me suis assoupie à demi.

Au milieu de la matinée, j'avais pris mon petit déjeuner, j'étais propre et habillée, ce matin de deuil avait pris des allures de lendemain de cuite, je me sentais ridicule, ridicule et minable.

Olivia, ai-je demandé.

Elle avait entrepris de ranger ma chambre, elle entassait les papiers, au mépris de toute méthode, en tas symétriques sur mon bureau.

Où sont passés les médocs qui étaient rangés en haut de l'armoire de la salle de bains ?

Je n'en sais rien, moi, a fait Olivia en levant les yeux au ciel, qu'est-ce que tu veux que je m'occupe de tout ce qui se passe dans cet appartement ? Peut-être que j'en ai eu besoin quand je n'allais pas bien...

Ne me dis pas n'importe quoi, tu viens de les prendre.

Non.

Si.

Prouve-le.

Elle me dévisageait avec insolence. N'aurait été mon trop visible désarroi, elle m'aurait ri au nez.

Je veux un cachet pour ce matin, ai-je négocié.

D'accord, seulement pour ce matin, après il faudra que tu m'en réclames.

Je me suis assise sur mon lit et j'ai recommencé à pleurer.

Oh là là, a-t-elle dit, bouge pas, je vais te chercher du matos.

Elle m'a donné deux Lysanxia et je me suis recouchée.

3

Le printemps avait beau être pourri, ce samedi de suicide fut un bon samedi, un samedi de grand repos et de paisible solitude.

Ayant abandonné le monde, je n'avais prévu aucune activité, je n'avais pas à travailler, après tout j'étais entre la vie et la mort, je pouvais rester au lit aussi longtemps que je le souhaitais. Il arriva au téléphone de sonner, mais Olivia me fit l'amabilité de décrocher et de ne pas me rendre compte des appels. J'étais au pays de personne, supposée morte, j'étais un enfant malade à qui l'on donne le droit d'oublier ses devoirs, un enfant ravagé de rêves fébriles.

L'angoisse difficile, celle qui empêche de dormir et contraint à l'action, finit elle-même par déserter. Olivia passait dans ma chambre à intervalles réguliers me fourrer dans le bec un ou deux cachets bleutés qui me renvoyaient illico dans les prairies du sommeil. Sur le coup de quatre heures, elle me proposa même un verre de vodka, pour le goûter, au prétexte désuet que pour soigner l'excès d'alcool, on n'a encore rien trouvé de mieux que l'alcool. À quatre heures et demie, j'étais complètement raide.

Faudrait peut-être y aller mollo maintenant, marmonna Olivia quand elle me vit, le regard liquide et le sourire fixe, essayer de la remercier, les mots s'évanouissaient au contact de l'air, je ne savais plus très bien ce que je voulais lui dire, des larmes intempérantes glissaient le long de mes joues, je les rattrapais avec le bout de ma langue, ce qui me faisait rire bêtement.

Il faisait nuit quand elle me hurla dans l'oreille :
Réveille-toi, on mange, c'est l'heure.

Elle tira ma couette à mes pieds et m'entraîna dans la salle de séjour, la télévision était allumée, elle dispensait dans la pièce une lumière bruyante et colorée. Sur la moquette, trônait une boîte de carton, plate et grise, un emballage de pizza.

Pizza reine, soixante-cinq francs, c'est moi qui paye, dit-elle, bon appétit.

Je m'assis en tailleur. J'eus un peu de difficulté à manger dignement, les morceaux de pizza refusaient de rester dans ma bouche molle, ils avaient tendance à s'échapper pour dévaler sur mes genoux, je ramassais les morceaux, je les remettais dans ma bouche, Olivia ne me regardait pas, elle regardait la télé.

Ensuite ce fut la nuit, il ne fait pas de doute qu'Olivia dormit dans le séjour et qu'elle veilla sur mon sommeil profond mais je ne me souviens plus de rien.

Un nouveau jour commença, il y eut des croissants et du café, et un autre bain chaud, et Olivia qui me regardait toujours sans rien me dire. J'avais mal à la tête, j'étais vivante et vide. Puis, très vite revint la peur insolente, il allait falloir que je m'y remette. Remplir le frigo, reprendre le métro, répondre au téléphone, l'argent du loyer et les papiers en retard. Le pouls se mit à me battre partout dans le corps. Je portai la main sur ma poitrine, j'appuyai sur mon cœur pour calmer son agitation.

Oh merde, fis-je.

Oh c'est sûr, approuva Olivia, il va falloir me donner un petit coup de main sinon je ne m'en sortirai jamais. Tiens, prends un demi-cachet, je ne t'en donne pas plus pour le moment, je ne veux pas que tu me claques entre les doigts.

J'étais toujours au lit quand Olivia décida de mettre de l'ordre dans la bibliothèque. Je me dis qu'elle avait là une idée cocasse, elle se moquait des livres comme de l'an quarante. Elle s'était plantée dans le couloir, devant les rayonnages, elle criait et je lui répondais de dessous ma couette.

Dis donc, si je les rangeais par taille et par couleur ? Ce serait tout de suite moins moche.

Non, ce n'est pas le bon système.

Alors je te lis les titres et tu m'indiques où les mettre.

Non plus, ça ne marchera jamais, il faudrait que j'aie déjà réfléchi à un classement...

Oh là là, tu en fais des histoires ! Je te propose de ranger et tout ce que tu trouves à me dire c'est que c'est impossible ! Je te jure, c'est le bordel quand on rentre chez toi tous ces bouquins entassés n'importe comment, on dirait que tu t'en fous complètement. Si tu triais, tu pourrais m'en filer pour la bibliothèque du foyer, tu ne vas pas me dire que tu as besoin de garder tout ça chez toi, au hasard je prends dans un tas : *Les Pensées*, tu en as trois, c'est le même auteur en plus, si ça se trouve c'est le même bouquin, il est vieux comme tout, qu'est-ce que t'as besoin d'en garder trois, tu peux me dire ? Note bien qu'ils n'en voudront pas de ce truc au foyer, des bouquins de poche qui ont l'âge d'avoir des petits-enfants, qui ça intéresse, on se le demande... Je te dis son voisin, *Les Amours*, ah, là au moins, il plaira aux filles, tu verrais comme elles sont niaises, et encore je te parle de celles qui savent lire... Je vais faire deux tas... Je continue : *Les Essais*, ma parole, c'est pas une bibliothèque, c'est le dictionnaire !

Elle hurlait dans le couloir, je l'entendais balancer les bouquins en vrac sur la moquette, je n'y tenais plus, je me suis levée d'un bond.

Attends voir, ai-je protesté.

Mets de côté ceux que tu aimes vraiment, a-t-elle proposé en repoussant du pied une pile vacillante, on va d'abord ranger ceux-là. Tiens, *Les Misérables*, ça me dit quelque chose, mais quoi ?...

C'est bien, peut-être même que tu devrais le lire...

Elle recommence... Je ne suis pas ton gosse !

Et si je te marque les bons passages ?

On verra, mets-le de côté. Mais ne me fais pas la morale, ce n'est pas le moment. On travaille.

Deux heures durant, nous avons vidé les rayons. Nous avions les mains noires et de la poussière sur le nez. Je caressais au passage les livres doux, les tranches rêches des pages coupées trop vite au couteau de cuisine. Je retrouvais, glissé derrière les rayonnages, un album qui avait appartenu à mon grand-père et illustrait les saisons. Je remis la main sur une enveloppe pleine de grands négatifs carrés que ma grand-mère m'avait confiée, dans mon adolescence, pour que je les développe. Je n'avais rien développé, ma grand-mère était morte, et j'étais devenue la gardienne de visages sur lesquels je ne pourrais jamais mettre de noms. Je trouvai aussi un poème de Suzanne qui parlait d'oiseaux et de tonnerre, un très joli poème dont j'administrai la lecture à Olivia qui s'extasia.

Vire les livres et garde le poème, suggéra-t-elle.

C'était une proposition tentante, mais extrémiste. Je déclinai, en dépit de mon respect pour Suzanne.

Olivia avait faim. Les livres étaient vautrés au pied des rayonnages, j'étais incapable d'opter pour un classement, nous allions finir par les replacer au hasard sur les étagères, je le savais. Je contemplais le chantier, les bras ballants, dans cet état particulier de découragement qu'a dû éprouver Dieu, quand il s'est retourné, au matin du septième jour, sur l'anarchie de la Création.

Un cachet? m'a proposé Olivia d'un ton engageant.

Merci non, je préférerais manger un peu.

Bien, je vais nettoyer le meuble pendant que tu fais la cuisine. Regarde mon doigt, je le passe sur l'étagère, t'as vu de quelle couleur il me revient? File-moi une bassine et l'escabeau et tu vas voir, ils ne seront peut-être pas rangés mais au moins ils seront propres, tes machins.

J'ouvris le frigo, il ne restait pas grand-chose. Mais il ne faut pas grand-chose pour faire manger deux personnes, un citron, un oignon, des coquillettes. Je cuisinais tandis qu'elle pulvérisait de l'Ajax sur le plastique blanc des rayonnages. Elle n'en finissait pas de jacasser, elle parlait maintenant du docteur Cajoudiara.

C'est pas tellement ce qu'il me disait, braillait-elle, quand je me rappelle, c'étaient des banalités, c'est plutôt qu'il parlait bien. Ah ça, tu l'aurais adoré. On pouvait tout lui dire, il n'avait pas les oreilles en porcelaine. Olivia, il me disait, Olivia, tu verras dans quelques années... À propos, tu as pensé à aller en voir un, toi, de psychiatre ?

Je goûtai une coquillette que la cuisson avait rendue translucide, elle avait pris une saveur sucrée d'oignon. Nous allions pouvoir passer à table quand un fracas épouvantable a rebondi du couloir à la cuisine. J'ai lâché ma cuillère, je me suis précipitée. Olivia gisait par terre, sur les livres éparpillés. Elle était tombée avec l'escabeau, entraînant dans sa chute toute une série de planches en contre-plaqué.

C'est pas grave, a-t-elle gémi, toute blanche. Juste ta saleté de bibliothèque qui m'est tombée sur la gueule.

Je l'ai soulevée doucement par les épaules, elle a grimacé. J'ai essayé de la remettre debout, elle a eu un cri bref et elle est retombée.

Je crois que c'est la cheville, a-t-elle soufflé. Je me suis tordu le pied en tombant et maintenant je suis démantibulée, c'est vraiment pas de chance.

SOS Médecins ? T'es pas dingue ?

Elle protestait, affalée dans son berceau de papier, tandis que je composais le numéro.

Tu le sais comme ils sont foireux! Ils vont me trouver une angine et je vais crever comme une cloche dans tes bouquins, raccroche tout de suite, on va aux urgences, et appelle un taxi, attends je connais le numéro par cœur.

Dans la salle d'attente, la jambe relevée sur un dossier de chaise, elle se fit une quantité d'amis. Elle sympathisa ensuite avec le jeune interne, un type avenant et rouquin, qui diagnostiqua une double entorse à la cheville et lui banda le pied avec minutie.

Si vous voulez guérir, dit-il avec une assurance juvénile, il ne faut pas bouger pendant quinze jours. Pas bouger du tout, vous m'entendez?

Olivia me lança un regard euphorique.

Quinze jours, murmura-t-elle, il va falloir que tu t'occupes de moi pendant quinze jours.

J'ai grogné.

Ça fera au moins quinze jours où tu ne sortiras pas à n'importe quelle heure avec n'importe quel imbécile pour faire n'importe quelle ânerie.

Et alors? Ça ne te fait pas plaisir?

Si, très. Tu auras le temps de lire *Les Misérables*.

Il fallut arrêter le taxi devant une pharmacie de garde. Puis devant une épicerie où j'achetai de quoi préparer le dîner. L'après-midi touchait à la soirée quand nous sommes enfin revenues à l'appartement.

J'ai installé Olivia dans le canapé, j'ai déployé sur elle une chaude couverture. Les coquillettes avaient perdu, à être recuites, leur fugitif parfum sucré. J'en ai rempli deux assiettes que j'ai apportées sur un plateau.

Pas mauvais, a conclu Olivia. Dommage que j'aie vidé

le reste de la vodka dans l'évier, il n'y a plus rien à boire.

Je n'ai pas fait de thé, elle détestait le thé. Je ne suis pas allée non plus exhumer *Les Misérables* de leur tumulus de livres abandonnés.

Je n'ai pas le temps, a dit Olivia. Il faut que je travaille pour le stage de théâtre. On va jouer *Les Précieuses ridicules*, tu connais ?

Oui.

J'en étais sûre, je t'ai piqué le bouquin, t'inquiète, je te le rendrai. J'ai essayé de le lire, je ne vois pas ce qu'il y a de drôle là-dedans. Je ne critique pas mais franchement tu crois qu'elle fait rire les gens, cette pièce ?

Je suis montée dans sa chambre. À côté de son lit, j'ai ramassé un classique Larousse hors d'âge. J'ai emporté quelques vêtements, une brosse à dents, un carnet d'adresses, la photo de sa mère. J'ai donné à la porte un double tour de clé.

Puis je me suis assise à son chevet, un tube d'aspirine à proximité, *Les Précieuses ridicules* à la main.

Allons-y, ai-je dit en ouvrant le livre avec délectation.

T'es contente, hein ? Tu vas enfin pouvoir me faire l'école.

Je suis très contente. Mais je me demande s'il fallait te casser le pied pour cela.

Le pied, je ne l'ai pas fait exprès, a consenti Olivia. Il m'a échappé.

4

« Vous avez plus de peur que de mal, et votre cœur crie avant qu'on l'écorche.

— Comment diable ? Il est écorché depuis la tête jusqu'aux pieds. »

Un cœur écorché de la tête aux pieds... Quand même, tu le vois, là, que c'est drôle, non ?

Non.

Fais un effort bon sang, c'est la scène la plus rigolote de toute la pièce.

Ne te fâche pas. Peut-être bien que c'est drôle, mais moi ça ne me fait pas rire, c'est pas grave.

Alors c'est ma faute, je t'ai mal expliqué. On va recommencer.

Quoi ! Depuis le début ?

Non, juste cette scène.

Oh là là, c'est la plus longue... Je l'ai comprise ta scène, tu me l'expliques depuis une heure ! Je n'y peux rien si ça ne me fait pas marrer...

Mais si tu avais compris, ça te ferait marrer. Donc...

Attends un peu, au stage ils nous ont dit de lire, pas de rire.

Justement...

J'en ai marre, tu profites que j'ai le pied cassé. Peut-être bien que je trouverai ça drôle quand on le jouera, le texte. Pour le moment, j'aime autant laisser tomber. Sinon je sens bien que je vais être dégoûtée.

La sonnerie de la porte a retenti, sauvant provisoirement Olivia de ma vaine leçon de littérature. Elle m'a

237

prestement ôté le livre des mains et son visage, boudeur depuis une bonne demi-heure, s'est éclairé.

Sûr qu'ils vont être surpris tous les deux, a-t-elle anticipé avec satisfaction. Ils n'ont pas l'habitude de me voir immobile.

Mais qu'est-ce qui t'arrive ? Tu déménages ?

Jean-Patrick considérait avec stupéfaction mon couloir encombré.

Non, je range. Et n'essayez pas de traverser, les gosses, vous allez piétiner mes bouquins. Vous n'avez qu'à passer par le séjour.

Eh bien, c'est réussi, a maugréé Jean-Patrick. Moi qui croyais que tu devais travailler.

Suzanne a évalué le dommage, elle a hoché la tête.

Si tu veux, je t'aiderai, a-t-elle proposé.

Ils portaient encore sur le dos sacs et manteaux quand ils l'ont aperçue, étendue sur son canapé de douleur, souriant modestement, Olivia qui leur ouvrait les bras.

Bonjour bonjour les petits enfants, a-t-elle claironné, les yeux ronds, la voix nasillarde. Alors j'étais sur l'escabeau, boum je suis tombée et crac j'ai cassé mon pied, c'est pas marrant, ça ?

Immédiatement, Thomas s'est inquiété.

Tu as mal ? s'est-il enquis, regardant avec méfiance le pied emmailloté.

Suzanne, bourrue, a haussé les épaules.

Tu fais le clown et tu tombes, c'est pas malin. Comment on va faire pour l'école ? Il va falloir qu'on reste à l'étude et qu'on attende maman ?

Oh non, a répondu Olivia, je vais m'arranger avec la

mère de Marion, vous reviendrez avec elle. Je vous attendrai ici, dans le canapé.

Décidément, a fait Suzanne, on ne peut pas vous laisser cinq minutes toutes les deux.

Je l'ai reprise avec hauteur.

Parle-nous sur un autre ton, si tu veux bien, jeune insolente. Nous sommes des grandes personnes, nous faisons ce que nous voulons de nos week-ends.

Elle ronchonnait, je l'ai prise dans mes bras et je l'ai fait tournoyer au milieu du séjour. Insolente, insolente, ai-je chantonné dans son cou. Elle a souri, joyeuse et réticente.

Hé! Attention à mes cheveux! Tu ne vois pas que tu me décoiffes?

Tout en empilant les lamelles de courgettes dans un plat en verre, je me livrai à un rapide calcul. Depuis que j'avais l'âge de pratiquer dans une cuisine et de servir à ma table, je pouvais me targuer d'avoir préparé un repas près de dix mille fois, avec des ustensiles simples et des ingrédients limités. J'avais œuvré pour des compagnies restreintes et pour de vastes assemblées. J'avais cuisiné seule, en tandem ou en groupe, avec Cécile, Agnès ou Jean-Patrick. J'y avais trouvé une sérénité variable, souvent profonde et plaisante, poignante à l'occasion. Parfois aussi je m'en foutais, et je laissais noircir du poisson pané dans le fond de la poêle en buvant du muscadet. Mais si je ne devais garder qu'une pièce dans une maison, nous dormirions tous au pied du frigo. C'est la cuisine que j'élirais.

Vint le moment de passer à table. Je ne voulais pas

qu'Olivia se déplace, elle aurait risqué d'appuyer sur son pied, ce que je jugeais dangereux pour un premier soir d'entorse. Quant à elle, elle ne tenait pas à ce que je la soutienne jusqu'à la table familiale, nous aurions été contraintes de nous approcher de très près, je l'aurais attrapée par la taille, elle aurait posé le bras sur mes épaules, il y a tout à parier que nos épidermes se seraient touchés. Elle préférait mourir de faim.

Je vais te porter, dit obligeamment Thomas, mais il était trop frêle.

Pour finir, nous décidâmes de transporter nos assiettes jusqu'au canapé, je disposai des torchons sur le sol et nous improvisâmes un pique-nique dont nous fûmes très heureux, surtout les enfants, mais nous aussi. Rien n'est si engageant que le dépaysement.

Quand les enfants furent endormis, je ne tardais pas à avoir envie de me coucher. La tête me bourdonnait d'importance, des essaims de guêpes crapahutaient de mon oreille droite à mon oreille gauche et retour, me piquant au passage, de brèves douleurs lumineuses qui m'éclaboussaient les yeux.

Tu as besoin de quelque chose ? demandai-je à Olivia.

Non, et toi ?

Non plus, ou alors dormir.

Son visage se fit sérieux, et plein de sollicitude.

Tu ne devrais pas, dit-elle, te rendre si malheureuse. Tu ne devrais pas avoir envie de nous quitter. C'est exagéré.

Ne t'inquiète pas, répondis-je, je ne risque plus rien, tu m'as piqué tous mes médocs. Sans compter que je vais devoir ranger la bibliothèque et soigner ton pied.

Quand même, médita Olivia, quand même. Que je me conduise comme une tarée, moi, je me comprends. Mais une femme comme toi, qui as des enfants et du travail, qui as une famille et une éducation, que cette femme veuille se détruire, ça je ne le comprends pas.

5

Selon toute vraisemblance, cette année-là, Olivia m'a sauvé la vie. Je ne parle pas seulement de cette déplorable fin de semaine, mais des quelques mois de mon existence qu'elle encombra de sa constance et de sa grâce.

Elle avait pris ses quartiers sur le canapé, elle regardait la télévision tout en téléphonant à longueur de journée. Le soir, les enfants l'assistaient, petits valets minutieux, ravis de servir. La mère de Marion passait à l'occasion, de retour de l'école, prendre des nouvelles du pied. Elle s'installait au chevet de la gisante, elle ouvrait *Les Précieuses ridicules* et suivait des yeux de longs passages qu'Olivia débitait d'une voix morne.

Mme Alvez nous apporta d'affreux beignets dégouttant d'huile, tendrement cuisinés pour Olivia. Nous échangeâmes quelques mots sur le paillasson, elle refusa d'entrer, même pour saluer son obligée qui l'interpellait vivement du fond du canapé. Je ne voyais pas bien ce qu'elle redoutait, notre désordre ou notre défaut de religion. Je lui pris donc des mains le sachet de papier gras et je la remerciai à voix basse, avec des chichis de geisha. Je craignais que ma voix trop bruyante et mes gestes trop vifs ne la blessent, les gens raides me semblent très fragiles, ils ne savent pas plier, ils cassent tout net et c'est le drame. Thomas mangea tous les beignets, il aimait, lui, les beignets portugais, au même titre que le couscous doré, l'algue japonaise et le bortsch incarnat. C'était la cuisine française qu'il n'aimait pas. Il la trouvait maussade.

Une famille française qui mange de la cuisine française, tu ne trouves pas que ça fait un peu Front national ? demandait-il avec circonspection en mastiquant les beignets élastiques.

Ne parle pas la bouche pleine, répondait Olivia qui se fichait de la politique.

Le séjour avait pris des allures de campement militaire, chacun y apportait son paquetage qu'il déballait sur place selon une logique aléatoire. Il y avait là des pyjamas, des brosses à dents, des biscuits, des livres et des cartables. Mes dossiers et mon ordinateur étaient installés à demeure sur la table à tréteaux. Nous les repoussions à l'heure du dîner et j'admonestais les enfants négligents qui semaient des miettes de Choco Pops dans les interstices du clavier.

Il avait bien fallu, dès le lundi, que je me remette au travail, à ce tas de salades dont la culture forcée générait en bout de chaîne un tel flux d'argent, et si strictement improductif.

Était-ce la vodka, je n'avais pas encore vraiment dessoûlé. Était-ce le Lysanxia, dont j'étais toujours imprégnée. Je tapotais toute la semaine d'un doigt hilare. Les données n'avaient pourtant pas changé : bénéfices méprisables d'un côté, méprisable exploitation de l'autre. Mais elles n'excitaient plus la rage impuissante dont j'étais couramment la paradoxale victime. Je ne tenais plus tant à voir le monde se réformer. J'étais indifférente, aux vaincus comme aux vainqueurs, je me moquais de tout.

Ce confortable cynisme dura jusqu'à ce que je lise un petit article sur les conditions d'existence des mineurs péruviens. Et jusqu'à ce qu'une chargée de communication confie à mon répondeur sa colère et son désarroi après avoir reçu un texte si mal écrit qu'il en offensait ses yeux et son budget. Mais qu'est-ce qui me prenait soudain, est-ce que j'étais devenue dingue ?

Je fus ainsi rappelée à deux vérités. La première, quel qu'ait été mon désir de renvoyer dos à dos victimes et bourreaux sous prétexte d'histoire, ce monde indigne se pensait au présent, et il était proprement scié en deux. Il fallait que je me résigne à savoir de quel côté ranger mon cœur. La seconde, ce n'est pas parce qu'un travail est idiot que ce n'est pas du travail. L'injuste collaborateur du monde indigne ne bosse pas moins que son intègre contempteur. Et même, souvent, il en fait plus. Je pouvais me moquer autant que je le voulais, je n'allais pas m'en tirer comme ça.

Déjà, si tu ne passais pas la moitié de ta vie sur un scooter, tu aurais moins mal au dos.

Denis était allongé sur le ventre. Assise à califourchon sur sa taille, je lui massais d'autorité les dorsaux.

Ne bouge pas sans arrêt, je ne sens plus ce que je fais.

Attends voir, dit Denis et il se retourna, m'envoyant basculer sur le côté. Pourquoi tu ne ferais pas masseuse ?

Tu n'es pas drôle.

Ne ris pas. Tu pourrais faire une excellente masseuse. Tu aurais beaucoup de clients et pas de patron, tu serais payée au noir et au moins tu servirais à quelque chose.

Mais je n'ai pas appris, je n'y connais rien.

Et alors ? Fais des stages.

Je n'ai pas le temps.

Prends-le. En trois mois, tu changes de métier.

Je n'y crois pas. Et retourne-toi, on n'a pas fini.

Il était une heure et demie, j'avais fait du thé et Denis me scrutait d'un œil de taupe. Je le trouvais pâlot, il veillait trop, il traînait dans les bars, les boîtes et les billards, il faisait, la nuit, le jeune homme en goguette, il faut reconnaître à sa décharge que, jeune, il l'était. Il gardait depuis une semaine un revolver dans le coffre de son scooter, un type le lui avait confié, à Pigalle, une nuit, avant de disparaître. Ce revolver lui causait un grand souci, il ne savait qu'en faire. Le jeter à la Seine ? Il n'arrivait pas à s'y résoudre et cette arme lui montait à la tête.

Il avait décidé de me sortir de l'ornière.

J'ai trouvé. Plombière. Renseigne-toi, il doit bien exister des formations. Tu te feras une clientèle de bonnes femmes. Elles se font toujours embobiner par des voleurs en bleu de travail, elles te préféreront c'est sûr, moi en tout cas, je te préférerais. Oh ce serait tellement sexy si tu étais plombière.

J'acquiesçais avec délice, j'aimais déjà l'idée de porter un bleu et des bottes en caoutchouc. D'intervenir sur le cours familier des choses. De mesurer les effets de mon travail sur le monde.

Plombière, pas mal.

Fleuriste. Jardinière. Cuisinière. Encadreuse.

Denis m'empêchait de dormir.

6

Quand Olivia sut par cœur *Les Précieuses ridicules*, elle sortit du canapé. Elle tâta le sol d'un pied fripé. Alors elle se risqua, s'élança et traversa le séjour en une fois. Nous eûmes tous un peu de mal à retrouver nos places, maintenant qu'elles ne rayonnaient plus autour du canapé.

À force de téléphoner, Olivia, qui connaissait Molière dans le texte, avait également trouvé du travail. Animatrice dans un club de vacances, un sien copain faisait piston, il était cul et chemise avec la fille du patron. Le club lui proposait une semaine à l'essai, on ne savait pas où, elle serait affectée à la dernière minute, en fonction des besoins.

Mes stages de clown les intéressent beaucoup, me signala-t-elle. Je monterai des spectacles.

Je m'occuperai des enfants, me dit-elle aussi. Ça devrait aller, tant que je suis avec des gosses, qu'est-ce que tu en penses?

Je n'en pensais pas grand-chose, ou alors plutôt du mal. Mais comme je n'avais jamais acheté de vacances organisées, je ne possédais pas les arguments suffisants pour la dissuader.

Tu peux toujours essayer, modulai-je. Une semaine, ce n'est pas le bout du monde.

Dans un sens je l'encourageais. Je n'étais pas indifférente à ce qu'elle travaille. J'attendais qu'elle se dote d'un revenu honorable. Qu'elle s'assure un avenir. Moi, je ne voulais plus travailler.

J'avais beau faire, je me désintéressais. Je ne savais plus quoi inventer pour garder les yeux ouverts en entretien, une fois assise dans un fauteuil mon carnet à la main. Je pinçais au sang la peau tendre de mes poignets, je me mordais les lèvres, j'avais le sourire engageant d'une statue de cire au musée Grévin. Mon crayon assoupi dégringolait au bas de ma feuille.

J'achetai un Dictaphone. J'oubliais alors d'écouter, je perdais le fil. Pendant d'interminables minutes, je restais muette et figée face à des messieurs décontenancés qui attendaient mes questions et me prenaient pour une folle.

Il suffisait que je m'assoie devant mon ordinateur pour sentir mon intellect se désintégrer. Je cherchais désespérément des mots qui ne venaient plus. Les phrases que j'avais crues pour toujours inscrites dans ma mémoire et prêtes au réemploi s'étaient évanouies. J'avais un mal fou à rester assise devant l'écran vide. Je déambulais. Je divaguais. Je pensais au désert du Kalahari. Aux chimpanzés du zoo de Vincennes. À mes enfants. À un concerto de Haydn. Je pensais au plaisir qu'il y a à nager dans une piscine froide en livrant son esprit à un défilé d'images répétitives.

Je mettais cinq heures à terminer une tâche qui n'aurait pas dû prendre vingt minutes. Je rendais mes commandes en retard. Je bricolais des prétextes d'enfant traqué pour ne rien rendre du tout, j'avais une colique néphrétique, une appendicite, un zona, une dépression nerveuse, un enterrement, sincèrement désolée, meilleures salutations.

Je ne décrochais plus le téléphone, mon répondeur enregistrait chaque jour sa litanie de menaces et d'encouragements comminatoires. Je ne l'écoutais pas, j'effaçais la bande, nous étions quittes.

Paresseuse et lâche, je l'avais toujours été. Trouillarde aussi, la terreur des conséquences avait jusqu'alors suffi à me tenir dans le droit chemin. Or, désormais, je me fichais bien de ce qui allait pouvoir me tomber dessus, demain. Aujourd'hui suffisait à mon souci.

Je rentrais tôt, le soir, chez moi. J'achetais des légumes que j'épluchais et que je débitais en julienne, ils rissolaient longuement dans la cocotte puis je les couvrais d'eau. Je surveillais inutilement la cuisson chuchotante en lisant le journal, bref je faisais de la soupe.

Je déjeunai avec Laurent, avec Agnès, avec Cécile. Je pris même des places de cinéma en milieu de journée, je ris aux films comiques, je versai de nombreuses larmes aux autres. Je m'enthousiasmai. Je n'avais plus du tout envie de mourir.

Le bruit courut que je sabotais le travail. Mylène se lassa, puis Jérôme et les autres, ce n'était que justice. J'eus de moins en moins de commandes, je me fis à l'idée de ne plus en avoir du tout, bientôt. À la banque, mon compte s'asséchait. Quand j'aurais fini de dépenser l'argent gagné ces derniers mois, je n'aurais plus grand-chose à attendre. Il allait falloir composer avec le désert.

Et si tu te mettais en maladie ? suggéra Agnès.

Elle s'obstinait à ne pas comprendre que je n'avais pas droit aux arrêts, aux congés, aux vacances, je n'appartenais à personne. À ce titre, la Sécurité sociale qui voulait bien me prendre mes sous quand je les gagnais n'était pas disposée à me les rendre quand je n'en gagnais plus.

Même le chômage, ma pauvre Agnès, lui dis-je, même le chômage, je peux m'asseoir dessus.

Je peux te prêter vingt mille francs, proposa Laurent, tu n'es pas obligée de me les rendre.

Merci, dis-je, c'est beaucoup pour toi et pas assez pour moi.

Dans ce cas, vous pouvez venir habiter chez moi quand vous serez à la rue.

Dans ton deux-pièces ?

On se serrera.

Je lui serrai longuement les mains par-dessus la table et il régla l'addition.

Je peux te prêter deux mille francs, dit Denis après un temps de réflexion et je l'embrassai avec émotion. Je savais très bien qu'il ne les avait pas, les deux mille francs, il devrait les emprunter, s'il voulait me les prêter.

Seigneur, pensais-je la nuit, voilà des années que je cours du four au moulin et du moulin au four, c'est assez.

Le sommeil se posait sur mes paupières et je m'endormais en rêvant à l'insouciance de Dieu, ses régiments de lis, ses divisions d'oiseaux, Marthe qui trime et Marie qui bulle. Prier me plaisait, le monde est plus drôle avec Dieu que sans lui.

7

Non, a dit Thierry.

Je venais d'ouvrir la porte et il était encore sur le paillasson.

Je suis venu te dire que c'est non. J'ai eu les résultats ce matin. Le test est négatif.

Ouf, ai-je dit.

Tiens, c'est pour toi, un cadeau.

Il m'a tendu le paquet qu'il portait sous le bras.

Mince, ai-je remarqué, c'est lourd.

C'était un miroir, encadré de bois doré.

Une glace, ai-je murmuré, voilà une bonne idée.

Je l'ai choisie chez un antiquaire, il a mis une heure à l'empaqueter.

J'ai admiré le miroir, je l'ai soupesé et tourné dans tous les sens mais il n'y avait rien de particulier à découvrir, il avait dû le payer les yeux de la tête, un miroir, quelle lubie.

Je t'aiderai à l'accrocher, a-t-il promis.

J'ai appuyé le miroir contre le canapé et nous nous sommes mis à plat ventre pour y observer notre reflet. Je suis convenue que c'était un bon miroir, beau et bien réfléchissant.

Je crois que j'ai trouvé un boulot, a dit Thierry quand le miroir fut rangé à l'abri des chocs, dans l'attente d'un futur accrochage. Dans une boîte qui fabrique des déguisements. Je dessinerai des costumes et des masques, je les ferai fabriquer. C'est bien, non ?

On m'a demandé d'écrire une lettre pour me

présenter. J'ai des idées, ce n'est pas le problème, mais je ne sais pas écrire, je vais avoir l'air d'un con.

Tu veux un coup de main ?

J'ai pris un bloc et mon stylo et je me suis assise, attentive.

Allons-y.

J'ai posé une première question. Instantanément, les circuits se sont allumés dans mon cerveau paresseux. J'ai couvert les feuilles de mon écriture ordonnée. Réveillée, la vieille installation était encore en état de marche.

J'ai tapé le texte tandis que Thierry faisait du café. Puis il s'est assis à ma chaise, et l'a modifié presque intégralement à l'écran.

Tu n'es pas vexée ?

Non, je préfère. Il faut qu'un texte appartienne à une voix. Sinon il n'a pas de sens et à quoi bon.

J'étais bien placée pour parler, j'avais commis quelques jours plus tôt une maladresse impardonnable.

Annie Fratellini, le nom te dit quelque chose ? m'avait demandé Olivia qui me soupçonnait de ne pas connaître grand monde.

Oui, elle est très célèbre.

Je veux lui demander un stage d'été. J'ai téléphoné et son assistante m'a dit qu'il fallait que j'écrive une lettre. Tu peux m'aider ?

Qu'est-ce que tu veux lui dire, à Annie Fratellini ? avais-je commencé.

Faire un stage, je viens de te le dire.

Oui mais pourquoi ?

Parce que ça me plaît bien de faire un stage avec elle.

Ça j'ai compris, je te demande pourquoi.

Pour un tas de trucs, je ne sais pas moi, c'est pour ça que je te demande de m'aider, je n'ai pas appris à m'expliquer, si je pouvais, je le ferais toute seule.

Bon, assieds-toi pendant que j'écris, je préfère que tu restes à côté de moi, je n'en ai pas pour longtemps.

J'ai évoqué sans effort mon enfance fracassée, le rire qui sauve à la fois mon honneur et la mise, les mots qui dorment sous mes gestes silencieux et mon désir d'apprendre. J'y ai mis de la ferveur et de la retenue. Je me suis débrouillée pour qu'on entende mon cœur battre derrière la digue. J'ai signé de son nom. J'ai détaché la feuille du bloc et je la lui ai tendue, je n'étais pas peu fière de moi.

Elle l'a prise sans remercier, elle l'a lue. Elle s'est levée, elle avait le visage grave. Elle a quitté la cuisine, sa lettre à la main. Elle n'a pas dit un mot, j'imagine qu'elle n'en avait plus, je les avais tous pris et fourrés en désordre dans cette lettre truquée. Il a fallu qu'elle soit remontée dans sa chambre pour que je comprenne, mais trop tard, que j'étais pire qu'une bête, j'étais une malfaisante. La réponse lui parvint dans la semaine, c'était oui à bientôt. Jamais nous n'avons reparlé de cette lettre.

Mais j'y ai repensé. Je me suis souvenue de la Petite Sirène qui échange sa voix contre deux jambes. Elle se figure qu'il faut être conforme pour plaire. Elle vend la proie pour l'ombre et l'âme pour le boîtier. Bien entendu, sans voix, elle n'arrive à rien. Trois jours plus tard, elle n'est plus rien qu'un peu d'écume à la crête des vagues. On ne nous dit jamais ce qu'il est advenu de la voix. Je ne pense pas que la sorcière l'ait jamais utilisée pour son compte. Elle a dû l'oublier dans un coin. Elle n'en a rien fait. Du silence. Il y avait de quoi réfléchir, pour une voleuse de voix.

Grâce à Dieu, Thierry n'était pas le genre à se laisser embobiner. Nous avons donc passé une bonne soirée à parler boutique, sans évoquer le résultat des tests, fuyant le commentaire, car qu'aurions-nous pu dire ?

Il y eut dans la nuit quelques larmes, âpres et inconsolables.

Pourquoi les autres ? pleurait Thierry le nez dans l'oreiller. Pourquoi pas moi ?

J'espérais qu'il s'endormirait sans trop tarder. J'aurais pu lui rappeler que nous allions tous mourir, lui aussi, et moi, le temps dégringolait la montagne. Mais je me suis tue, ce qui est juste n'est pas toujours opportun.

8

Il y eut des vacances. Olivia fit un stage de théâtre puis elle partit travailler au club, dont elle revint ravissante et bronzée, gravement déprimée et dévorée de maladies diverses. Thomas et Suzanne descendirent sac au dos et avec Jean-Patrick dans les Pyrénées. Laurent quitta triomphalement son deux-pièces pour un trois-pièces, peut-être était-il amoureux ou alors préparait-il notre déménagement. Denis sortit le revolver du coffre de son scooter et le balança à la Seine en pleine nuit. Thierry signa pour trois mois à l'essai. Agnès demanda une

252

augmentation qu'elle obtint. Cécile se brouilla avec Agnès, presque par hasard.

Moi je dormais, je préparais ma ruine.

Salut, me dit Étienne Varlat, je ne te réveille pas ?

Non, dis-je.

Il me sortait du lit, j'étais toute nue au téléphone, je me recroquevillais, j'espérais que les voisins d'en face s'occupaient loin de leurs fenêtres.

Ça va ?

Oui, dit-il, je suis de passage à Paris, je viens de refuser un boulot tout con très bien payé. Je peux te recommander.

Oh, ai-je fait la voix cassée, je ne peux pas accepter, merci, je ne bosse plus tellement, si tu savais.

Oui, c'est en gros ce que m'a raconté Patrick.

Qu'est-ce qu'il en sait Patrick ?

Tout le monde est au courant, les gens bavardent. J'ai pensé que tu devais avoir besoin de taf.

Non, j'ai seulement besoin d'argent.

Étienne hésita un instant.

Je dîne ce soir avec Guillaume, tu devrais nous rejoindre.

Guillaume avait bonne mine, ce n'était pas le vin qui lui faisait les joues hâlées mais, depuis qu'il avait quitté Paris pour Montpellier, il cultivait la mine prospère.

La plupart des clients avaient quitté la salle, Étienne venait de commander une troisième bouteille, le cendrier débordait et Guillaume crayonnait des additions sur la nappe.

Écoute-moi cinq minutes, disait-il, tu me coupes la parole sans arrêt, rien que le loyer tu le divises par trois.

Mais quand même, je tergiversais, il faut bien que tu paies l'avion pour venir à Paris...

Je viens de moins en moins. Une fois par mois suffit. Je travaille avec un fax et un modem.

Mais pour les entretiens ?

Par téléphone. Ou alors tu prévois bien à l'avance et tu rencardes tout en même temps. Tu peux aussi ne prendre que les boulots sans déplacement, les rapports, les bouquins. Tu devrais le savoir, ça fait dix ans qu'on bosse pour les mêmes boîtes, tout le monde se fout de savoir où je vis.

Pour moi, fit Étienne, c'est encore plus simple. Auxerre est à deux heures de Paris. J'habite la vieille baraque de mon grand-père, je dis merci à ma mère et je paie les impôts locaux d'un bled de deux cents pékins. Habiter Paris ou la banlieue de Rodez, pour ce qu'on a à faire, je te jure, c'est pareil. Je te dirais même, il y a des clients pour aimer ça, les pigistes déplacés. Ils nous imaginent en robe de bure en train de bidouiller dans un ashram.

Tu devrais partir, reprit Guillaume, tes gosses seraient contents. On peut t'aider à trouver des boulots pour commencer. Hein Étienne qu'on peut l'aider ?

Mais tu ne penses pas que j'aurai du mal à vivre loin de Paris ? J'avais choisi, moi, d'habiter cette ville, je l'aime et...

Mais il faudra bien que tu y reviennes, même quand tu n'en auras plus envie. Parce que, tu verras, on croit qu'on aime Paris mais ce n'est pas vrai, on ne l'aime pas tant que ça, pas à n'importe quel prix.

Et qu'est-ce qui t'empêche de revenir dans un ou deux ans, demanda Étienne, quand tu auras grossi ?

L'un après l'autre, les garçons avaient jeté l'éponge, ils étaient rentrés se coucher, il ne restait plus que nous, et le patron qui somnolait derrière sa caisse.

J'irai bien boire un verre, proposa Guillaume en enfilant sa veste. Vous m'avez énervé tous les deux avec votre discussion.

C'est une blague ? Tu ne parles pas sérieusement ?

Oh, fis-je, j'étais au bord des larmes, bien sûr que si, je suis sérieuse.

Mais puisque je t'ai dit et répété que tu pouvais habiter chez moi !

On est trois, ça ne marchera jamais, on va tous devenir cinglés.

Et chez les parents tu crois que tu ne vas pas devenir cinglée ? Tu vas reprendre ta chambre au second étage, mettre tes gosses dans ta vieille école, manger tous les soirs à la table familiale et rester saine d'esprit ?

Je n'ai pas le choix, Laurent. Les parents ne me jetteront pas, la maison est assez grande et je paierai ma part. Dis-toi que je ne serai pas loin. Ce n'est pas loin, une heure de train.

Une heure et demie. Qu'est-ce qu'ils en disent tes gosses ?

Ils sont d'accord.

Et Jean-Patrick ?

On s'est entendus sur un partage des week-ends et des vacances. Je prendrai un abonnement de train.

Arrête de pleurnicher s'il te plaît, j'ai envie de te taper.

Denis m'approuva sans réserve.

Ma mère a promis de me filer sa vieille Renault 5. Je viendrai te voir dans ta maison, tu me présenteras tes parents...

Hé, pas si vite.

Bon, j'arriverai de nuit, tu m'ouvriras la porte en cachette. Tu seras très jolie, reposée et contente. On emmènera les petits faire du tourisme, je prendrai des photos. Si tu veux un coup de main pour le déménagement, tu me sonnes. Tu pars quand ?

Complètement absurde, commenta Cécile. À la seule idée de vivre chez ma mère, j'ai envie de sauter par la fenêtre.

Je ne peux pas faire autrement.

Que tu dis. Réfléchis.

Oui, dit Olivia, oui bien sûr, je comprends.

Veux-tu venir avec nous ? La maison est grande, mes parents sont gentils.

Non merci, j'ai mes cours, je ne peux pas partir si facilement. Ne t'en fais pas, tu sais bien que je me débrouillerai toujours. Je vais demander une chambre dans un foyer.

Dans un foyer ?

J'ai une copine qui a habité un an au foyer de l'Armée du Salut, au coin de la rue Faidherbe. Je peux avoir une place. Même un petit deux-pièces.

Et l'argent ?

Ça ira. Je repars au club, je gagne de la thune et je prolonge le chômage.

Tu détestes ce boulot, il te rend malade.

Oui mais je ne suis pas obligée d'y aller toute l'année. Je peux économiser et faire mes stages.

Elle buvait son café à petites gorgées.

Je vois bien que tu te fais du mouron, dit-elle gentiment, ne t'inquiète pas tout le temps comme ça. C'était déjà très bien cette année, jamais je n'étais restée si longtemps au même endroit. Et puis on va se revoir. Je me suis attachée aux enfants. Tu me feras un droit de visite.

Enfin, j'avertis Thierry qui m'écouta en silence.

Laurent a raison, dit-il quand j'en ai eu fini, c'est une idée à la con.

Tu n'en sais rien. Mes parents ne sont pas tes parents.

Ça reste une idée à la con.

Facile à dire quand on est un type tout seul sur terre qui n'a jamais eu à s'occuper que de lui-même. Moi aussi, si j'étais toute seule, je ferais la maligne.

Tu as demandé à tes parents ?

Pas encore. Je voulais vous prévenir tous avant.

Et tu penses qu'ils vont accepter ?

Oui, chez moi les gens ne se laissent pas tomber.

Il y a une chose que je comprends mal : tu veux vraiment retourner vivre chez tes parents ou tu t'en vas parce que tu n'as pas d'autre solution ?

Devine. J'ai donné mon congé de l'appartement pour fin juin. Quand j'aurai payé le déménagement, je n'aurai plus un sou. Je suis grillée avec tous les gens pour lesquels je travaillais. Et je n'ai plus de jus, je suis fatiguée et j'ai besoin qu'on m'aide.

Ça va, dit Thierry, j'ai compris. Puisque tu déménages, veux-tu venir habiter avec moi ?

9

Elle a accepté que je reste en face d'elle, nous sommes assises à la table de la cuisine.

Depuis qu'elle est arrivée, j'ai fait trois cafetières, il n'y a que pour elle que je sors la cafetière italienne, d'ordinaire je me sers du percolateur que Laurent m'a offert à Noël. Je fais semblant de lire le journal, je la lorgne par en dessous, elle n'est pas embarrassée par mon regard. Avec la trentaine, son visage a acquis des angles fins, des pommettes élégantes sur des joues plus creusées.

Quand j'ai commencé à écrire, nous avons eu une petite discussion. Elle m'a dit :

Sur moi, tu écris ce que tu veux, ça m'est bien égal. Mais il faut faire attention, je ne veux faire de mal à personne. Je préfère que tu mentes, prends un crayon et note.

Plus tard, je me suis inquiétée. Nous en avons reparlé, un soir qu'elle était passée boire le café chez nous.

Je t'ai apporté un petit cadeau pour ton anniversaire, m'a-t-elle dit en entrant.

C'est gentil d'y avoir pensé, je n'ai rien fait cette année, même pas un dîner, j'ai eu la flemme.

Pas grave, a fait Olivia. Allez, ouvre le paquet.

J'ai déballé le petit cube sous son regard curieux.

Ça te fait plaisir ?

Oui, c'est tellement agréable d'en avoir une pour la nuit et justement je n'en avais pas.

Je suis contente que ça te plaise. J'avais un peu peur. J'ai fait le même cadeau à Armelle la semaine dernière, elle n'était pas contente. Il paraît qu'on n'offre pas de crème antirides.

Pourquoi pas ? ai-je fait benoîtement.

Olivia, l'ai-je avertie, il ne s'agit que de mon regard et le regard déforme. Tu verras, la fiction c'est le bazar, il y a dedans des moments reconnaissables et un tas de pures inventions, pas de personnes, des personnages, et moins de vérité que de sincérité, quoique, pour la sincérité, je ne suis pas si sûre, et encore je ne te parle pas de la réalité, ni de la ressemblance. Pardonne-moi si je patauge, je te résume : ce n'est pas toi. De toi par exemple à l'époque, je suis loin de tout savoir...

Elle a eu un geste de la main, noble et distant, une sorte de très lente bénédiction.

Ne te bile pas, a-t-elle déclaré avec componction, tu fais ton possible c'est clair, mais tu ne sais pas tout.

Ses yeux ont quitté mon regard, ses beaux yeux de menteuse.

Je tiens absolument à ce qu'elle relise ce que j'ai écrit, en partie tout au moins. Des fois qu'elle ne serait pas d'accord.

Elle relit donc et j'attends. Elle tape parfois du doigt sur la page.

259

Oui, c'est vrai, approuve-t-elle.

Tiens, tu te souvenais de ça ?

Il y a un truc que tu n'as pas mis.

Elle lève les yeux, elle s'amuse.

Ah celui-là, celui-là, si tu savais...

Je fais de grands gestes des bras.

Au secours non ! je crie presque. Ne me raconte plus rien, je ne veux plus rien savoir. Si tu recommences je ne m'en sortirai jamais.

Elle me regarde, elle se moque de moi.

T'affole pas, dit-elle, le passé est passé.

Elle avance dans le texte, elle regarde sa montre.

Je n'aurai pas le temps de tout lire, il ne faut pas que je traîne, j'ai rendez-vous à une heure.

Je la laisse lire, j'ai des fourmis dans les jambes, je quitte momentanément la cuisine, je range du linge dans le panier du repassage.

Elle m'appelle, elle se frotte les mains, elle a son rire de gamine.

Je vais envoyer ce bouquin à mon beau-frère. Il verra, ce salaud.

Pas question. Tu veux lui donner mon livre, tu veux le lui donner, à ce type dont je souhaite la mort ?

D'accord mais quand même, moi ça me plairait trop et, lui, ça lui apprendrait...

Rien ne lui apprendrait, rien d'autre peut-être qu'une bonne séance aux assises. Si tu veux lui apprendre, tu n'as qu'à aller chez les flics.

Elle ne dit rien, elle soupire.

Midi approche, Olivia se lève de sa chaise.

Je vais devoir y aller.

Cinq minutes, je voudrais que tu lises au moins les passages qui pourraient t'embarrasser.

Elle enfile son caban.

Laisse tomber, on en a déjà discuté. Et Thierry, il va bien ?

Je donne un tour de clé à la porte de l'appartement. Elle me précède dans l'escalier.

Tu prends quelle direction ?

Je vais à la gare, j'ai rendez-vous avec Suzanne et Thomas. Ils sortent du collège et je les mets dans le train. Ils vont passer l'après-midi chez Jean-Patrick.

Ils ne peuvent pas le prendre tout seuls, le train, à leur âge ?

Si, mais je préfère les voir, m'assurer qu'ils ont un billet, vérifier qu'ils montent dans le bon train, on ne sait jamais.

Tandis que je me justifie, Olivia regarde sa montre. Le temps qu'elle n'avait pas tout à l'heure, elle vient de le trouver.

Je viens avec toi, je prendrai le métro à la gare. Il y a deux mois que je ne les ai pas vus.

Nous poireautons sous le panneau banlieue. J'ai acheté des pains au chocolat, tièdes et gras, dont le feuilleté nous colle aux doigts.

Olivia bavarde.

Devine ce qui m'arrive ?

Elle a travaillé avec des amis du docteur Cajoudiara, et voilà qu'il est de passage à Paris. Il lui a laissé un message sur son répondeur, il serait heureux de l'inviter à prendre un café.

Elle s'informe aussi, mine de rien.

Je voulais te demander, quand on vit avec un homme, est-ce que c'est normal qu'il veuille qu'on reste à la maison, moi j'ai besoin de voyager, j'ai besoin de travailler, est-ce que ça veut dire que je n'aime pas vraiment, peut-être que je n'ai pas besoin d'aimer, tu sais comment je suis, je n'y arrive pas, qu'est-ce que tu en penses, ce chocolat colle aux doigts, tu n'as pas un Kleenex ?

Elle m'avertit.

Il m'arrive d'avoir des coups de barre, il faut absolument que je reprenne du Prozac, je vais peut-être faire une analyse pour de bon, des fois je me dis que je n'ai pas changé, je suis la même, la déprime me revient et...

Oh toi tu ne changes pas, heureusement, c'est le monde qui bouge, tes diplômes, ton copain, ton appart, tes amis, ton boulot, la pièce que tu répètes. Tiens voilà un Kleenex.

Les années passent, elle est toujours aussi bavarde.

Je surveille les minutes qui défilent sur le panneau mural. Je les vois enfin, Thomas et Suzanne, lumineux et pâles, qui entrent sous la verrière dans les reflets de nacre. Ils nous aperçoivent. Du fond du hall, ils courent, les sacs trop lourds déséquilibrent leurs mouvements. Ils arrivent, je m'écarte, ils sont bien plus grands qu'Olivia. Dans leurs bras, elle paraît toute petite.

Le train s'ébranle. Derrière les portillons, nous attendons qu'il ait quitté la gare.

Tu as le temps de boire un verre ?

Non, dit Olivia. J'ai rendez-vous avec la déléguée aux droits de la femme. Je l'ai rencontrée à une conférence, elle voulait discuter. Je ne suis pas débordée en ce moment, les répétitions ne commenceront pas avant juin, alors j'ai pris rendez-vous.

Vous jouez quand ?

En novembre. Tu viendras ?

Nous sommes en haut des escaliers, le nez sur mon plan de métro.

À ta place, dit Olivia, je prendrais par Montparnasse.

Oui mais, d'habitude, je change à Châtelet puis à Concorde.

Ma parole, tu ne sais pas lire une carte ? Regarde, ce n'est quand même pas compliqué, tu suis du doigt la ligne orange, voilà. Oh et puis laisse tomber, on prend la même ligne, viens avec moi. Qu'est-ce que tu vas faire à Pernety ?

J'ai rendez-vous avec Cécile, on va au cinéma.

Elle descend à République. Je suis restée dans le wagon presque désert, j'abaisse un strapontin, je m'assieds. Les portes automatiques se ferment. Par la vitre, je la regarde qui s'éloigne. Son sac balance à son côté, elle ne se retourne pas. Elle est pressée, elle a à faire.

Cet ouvrage a été imprimé par la
SOCIÉTÉ NOUVELLE FIRMIN-DIDOT
Mesnil-sur-l'Estrée
pour le compte de France Loisirs
en mai 1999

Photocomposition *CMB* Graphic, 44800 Saint-Herblain

Imprimé en France
Dépôt légal : mai 1999
N° d'édition : 31534 - N° d'impression : 46810